Francesco Mochi
e il suo tempo

Sezione didattica della mostra per il quarto centenario della nascita

Centro Di

Copyright 1981, Centro Di
Cat. 139 bis
ISBN 88-7038-030-0
Stampa Stiav, Luglio 1981

a cura di Rosanna Barbiellini Amidei
collaborazione per la parte iconografica di Maurizio Fagiolo

Il presente volume, progettato dai curatori come supporto al catalogo della mostra su Francesco Mochi, riproduce fedelmente nelle illustrazioni i pannelli esposti

I. Da Montevarchi a Firenze. La formazione.

Francesco Mochi, figlio di Lorenzo, nacque il 29 luglio 1580, a Montevarchi, piccola cittadina del granducato mediceo, appartenente alla diocesi di Fiesole. Montevarchi contava nel censimento del 1551 duecentotrentatre abitanti; nei documenti del tempo ricorre più volte il nome Mochi, un Lorenzo Mochi capitano della festa del latte è menzionato nel 1572 e nel 1585 appare tra gli "Huomini di guerra"; se si tratta del padre dello scultore, come sembra probabile, si può dedurre l'appartenenza di Francesco ad una famiglia notabile ed estranea all'attività artistica.

Mochi a Firenze.
Tutte le fonti concordano nel porre l'apprendistato del Mochi a Firenze, presso la scuola di disegno di Santi di Tito (pittore ed architetto), frequentata da molti giovani artisti, che nel disegno, "padre di scultura e di pittura", si esercitavano.

La Firenze dei Medici. Cosimo I granduca della Toscana, Francesco I, Ferdinando I.

Negli anni del principato la famiglia medicea abbandonò la privata dimora di via Larga per il pubblico Palazzo della Signoria, del quale promosse un rinnovamento strutturale e decorativo completo, affidandone i più importanti lavori a Giorgio Vasari; Cosimo dette inizio anche alla costruzione degli Uffizi ed alla costituzione della preziosa raccolta. Negli ultimi decenni del Cinquecento si modifica profondamente il rapporto tra la corte medicea e gli artisti operanti in Toscana: dall'esaltazione dinastica di Cosimo (ritratti augusti del Cellini, del Bandinelli, ecc.) alle ricerche sperimentali di Francesco I (e lo Studiolo è lo specchio di questa atmosfera), accanto al lento prevalere della pittura riformata, che, nell'aderenza alle nuove tematiche sacre, si avvicina sempre di più alla nuova religiosità dei "minori", dei sudditi. Alla crisi religiosa non sfuggirono neanche l'Ammannati, il profano Giambologna e il Buontalenti, soprintendente alle fabbriche granducali, l'ideatore dei giardini di Boboli, di Pratolino, della scenografia delle feste e degli spettacoli di corte. A Firenze l'artista è sempre stato un inventore di tecniche, e in quegli anni si istituirono opifici e manifatture; l'applicazione tecnica, in uno scambio fecondo di metodi di ricerca, si inserisce nella scienza medesima; nell'ambiente della Camerata fiorentina o Camerata dei Bardi, si forma Galileo Galilei. Il padre, Vincenzo Galilei, fu il teorico principale della Camerata, ove "... trattenendosi non solo nella musica, ma ancora in discorsi di astrologia e d'altre scienze..." "la gioventù fiorentina veniva allettata con molto guadagno" (lettera del Bardi). Con il termine Camerata fiorentina si intende tutto il movimento che dalla ricerca filologica sulla natura della musica antica prese le mosse per giungere ai primi saggi di drammi musicali, da cui derivò il moderno melodramma. La ricerca di espressività, chiarezza, nel "recitativo drammatico", vincola la bellezza della melodia al suono della parola e ai significati che le parole esprimono: "il canto va cantato secondo gli affetti delle parole". La poetica musicale "degli affetti" investe l'intera cerchia degli artisti medicei che lavorano alle rappresentazioni teatrali.
Nel 1588 era stato nominato sovrintendente per la musica e gli spettacoli Emilio de' Cavalieri, nobile uomo romano che alle doti musicali univa rilevanti capacità organizzative, mentre il Bardi era chiamato a Roma come maestro. Nel 1589 si rappresenta *La Pellegrina*, uno degli intermezzi della Camerata dei Bardi, con invenzioni sceniche del Buontalenti; nel 1590 è data la prima pastorale in musica, tratta dal *Pastor Fido* del Guarino, di Vincenzo Galilei, con costumi dell'Allori, e nel 1600, in occasione delle nozze di Maria de' Medici con Enrico IV di Francia, Jacopo Peri con la collaborazione di Giulio Caccini compose canto e musiche per i versi dell'*Euridice* di Ottavio Rinuccini. Furono i primi esempi dell'opera in musica. L'*Euridice*, con scenografie del Buontalenti, prevedeva complicate apparizioni di Deus ex machina: Venere scendeva in volo dall'Olimpo per salvare Orfeo; infatti convenzioni di corte avevano imposto un lieto fine alla vicenda. All'eccezionale apparato lavorarono, tra gli altri, Buontalenti, Santi di Tito, Cigoli, Giovan Battista Caccini; nasceva il canto monodico, e insieme uno stile di transizione tra manierismo e barocco.

II. L'educazione artistica a Firenze. L'arrivo a Roma.

Le grandi imprese medicee avevano attirato molti artisti a Firenze. Da Arezzo il Vasari e il Leoni, da Sansepolcro Santi di Tito, da Verona Jacopo Ligozzi, da Carrara il Tacca, così Mochi da Montevarchi.

In mancanza di documenti, possiamo immaginare Francesco Mochi in una bottega fiorentina. Dalle descrizioni del Vasari, dell'autobiografia, dei suoi primi anni a Firenze, dai disegni di Taddeo Zuccari sull'apprendistato dei giovani, ricostruiamo in parte le esperienze di un giovane artista. Nella bottega fiorentina prevaleva un atteggiamento conservatore che si identificava nel concetto di tradizione, intesa come riferimento a modelli antichi e moderni di particolare importanza; questo spiega la ripetizione di schemi compositivi e iconografici, specialmente da Michelangelo, ma anche dagli Zuccari, dal Bronzino, dal Giambologna.

Gli allievi ripetono in infinite repliche i modelli dei maestri; nelle stesse botteghe i giovani partecipano ad esperienze che si realizzano con i contributi di maestranze diverse, orafi, incisori, pittori, scultori, architetti e questo continuo superamento del proprio campo comporta l'importanza assoluta del disegno, dal quale ogni progettazione discende. Al primato del disegno si unisce l'interesse per le scienze naturali e un nuovo naturalismo dei dettagli.

Nel 1587 nella villa di Poggio a Caiano muore Francesco I; gli succede il fratello Ferdinando. Ferdinando, eletto cardinale a 15 anni, era vissuto a Roma, nella villa del Pincio; famoso mecenate ed appassionato raccoglitore di opere antiche (aveva comprato per poche migliaia di scudi il gruppo dei Niobidi) alla morte del fratello Francesco rinunziò alla porpora per divenire granduca.

Nel 1589 Ferdinando sposava Cristina di Lorena, nipote di Caterina dei Medici, regina di Francia. Per l'ingresso di Cristina in Firenze furono allestiti grandiosi festeggiamenti dal Buontalenti; agli apparati effimeri lavorarono anche quasi tutti gli artisti allora attivi a Firenze; tra gli altri: Giambologna, Caccini, Passignano, Allori, Cigoli, Santi di Tito. Con il matrimonio, oltre al mutamento nella politica estera del granducato, dopo la fase filo-spagnola, si verificò a corte un ritorno all'ordine e all'austerità.

Le opere più prestigiose commissionate da Ferdinando negli ultimi anni del suo regno sono opere devote o celebrative della dinastia, come la cappella dei Principi e i famosi "cavalli" del Giambologna, uno dedicato a Cosimo e l'altro a Ferdinando ancora in vita.

Alla bottega del Giambologna si erano formati gran parte degli scultori operanti a Firenze, che collaboravano spesso alle sue opere: il Francavilla, il Tacca, assistente del Giambologna dopo la partenza del Francavilla per Parigi, il Susini, il Caccini.

Altro caposcuola era in quegli anni il pittore e architetto Santi di Tito, celebrato per i suoi studi dal vero, tanto da guadagnarsi l'epiteto di "matitatoio"; suoi allievi diretti furono, oltre il Mochi (forse), il Boscoli, il Ciampelli, il Cigoli, il Pagani, tutti pittori "riformati", che aderirono alla nuova religiosità dell'epoca.

All'inizio del Seicento questo gruppo di pittori lavora sempre più assiduamente a Roma. Nel 1609, alla morte di Ferdinando, secondo le sue volontà, non si celebrano a Firenze esequie solenni, ma a Roma si dispone un apparato funebre a San Giovanni dei Fiorentini, la chiesa dei fiorentini ove sermoneggiava il cardinal Baronio. Nella decorazione delle cappelle di San Giovanni dei Fiorentini, Santi di Tito, Cigoli, Passignano, con le loro pale d'altare, rappresentanti estasi e visioni, interpretano le idee più avanzate del tempo. Tra il 1604 e il 1606, a Roma, si era tenuta una gara tra il Cigoli, il Passignano e Caravaggio, per un Ecce Homo: vinse il Cigoli, segno del prestigio dei fiorentini, ma anche della circolazione delle idee e dei prestiti culturali. Questa pittura devota presenta tangenze stilistiche con lo stile romano, ma si distingue per una maggiore attenzione alle novità della lezione caravaggesca e della riforma dei Carracci.

Roma 1600, anno del Giubileo.
Papa Clemente VIII Aldobrandini.

Clemente VIII è l'ultimo papa del Cinquecento e il primo del Seicento. Accorto uomo politico, Clemente VIII vigilava su tutto; insieme uomo di grande devozione, imprimeva con l'esempio del suo ascetismo un nuovo slancio alla vita spirituale dell'Urbe; si recava in pellegrinaggio alle tombe dei Santi, andava scalzo alle processioni, praticava i digiuni. Molti pensatori religiosi tornarono in quegli anni in Italia con la speranza di recare il loro apporto al processo di rinnovamento della Riforma cattolica, avviato da Clemente VIII. Mentre il pontefice rifiutava la censura delle immagini, si avvaleva di uomini moderni come il cardinal Baronio per la politica ecclesiastica e mostrava il suo interesse verso il pensiero alchemico (chiamando il filosofo Patrizi ad insegnare all'Università); si condannava invece il pensiero di Giordano Bruno e di Tommaso Campanella, finiti nelle carceri dell'Inquisizione. Campanella fu liberato; Bruno, dopo un tormentato processo durato sette anni, fu condannato a morte ed arso vivo nella piazza romana di Campo dei Fiori, il 17 febbraio del 1600.

Clemente, rifacendosi all'impostazione di Sisto V, si apprestava a santificare il giubileo. Nel campo artistico si promosse la rivisitazione dei luoghi sacri: si lavorava nel transetto di San Giovanni in Laterano, in Santa Maria Maggiore, in San Pietro; direttore dei lavori era Giuseppe Cesari, detto il cavalier d'Arpino. Nell'ambiente del cavalier d'Arpino si incontrano artisti diversi per cultura e provenienza, alcuni legati alla norma, altri innovatori; la maniera toscana tende a dominare nella tessitura del sistema figurativo, come la più adatta a rendere omogenea un'opera, frutto di una collaborazione così vasta; espunti gli elementi di una religiosità intransigente, emerge il concetto rassicurante di trionfo dell'ortodossia, di "Trionfo della Chiesa". Talvolta è lo stesso pontefice a partecipare all'ideazione dell'opera, come nel caso della cappella Aldobrandini in Santa Maria sopra Minerva, per la quale Clemente, all'insaputa dell'ambiente artistico romano, commissionò la pala a Federico Barocci, ormai vecchio e ritirato nella sua Urbino. Tra i lavori giubilari sono da ricordare anche i lavori nelle chiese paleocristiane minori: Santa Sabina (Federico Zuccari), Santa Balbina, Santa Maria in Trastevere. In questi lavori nasce un "sermo humilis" che sembra voler recuperare l'antico, nelle tecniche, nell'iconografia e talvolta anche in una imprevedibile libertà espressiva, ma è un'operazione erudita, complementare all'autoaffermazione trionfante della chiesa contro il protestantesimo. Tesi diverse coesistono nelle ideologie di predicatori e mistici, così come nelle iconografie preferite dei diversi ordini. Il nuovo secolo è caratterizzato da una volontà di rinnovamento.

III. A Roma. I Farnese, la cultura classica, i primi lavori.

All'inizio del secolo Mochi arriva a Roma, presumibilmente legato agli ambienti fiorentini, e, come dice il Pascoli (*Vite*, Roma 1736), studia le statue antiche e le restaura. Lo studio dell'antico era indispensabile alla formazione degli artisti, ma il modo di avvicinarsi all'antico era oggetto di polemica nella cerchia dei Carracci e di reazione da parte del Caravaggio. A Roma la scultura in quel momento presentava una situazione arretrata rispetto alla pittura, le principali imprese erano affidate ad *équipes* di scultori e scalpellini, lombardi e fiamminghi, tardo-manieristi. L'evoluzione del Mochi a Roma fu rapida, l'ambiente in cui operava l'artista era per molti versi il più adatto al completamento della sua formazione fiorentina.

Mochi e l'antico.

Ogni giovane artista faceva il suo apprendistato a contatto diretto con le opere classiche; i primi lavori erano spesso restauri o copie; il modo di accostarsi all'antico era molto cambiato rispetto al Rinascimento. Negli artisti del Seicento, l'influenza dell'antico rimane fondamentale, ma alla imitazione diretta si sostituiscono altri principi. La scelta dei modelli segue orientamenti diversi, e l'artista modifica spesso l'aspetto e il significato dell'originale, arrivando a nuove composizioni plastiche, nelle quali la parte antica costituisce un pretesto o un "tema per una variazione". Questa stessa spregiudicatezza guida gli artisti nei restauri conservativi. Dal testo di Orfeo Boselli, *Osservazioni della scultura antica* (scritte tra il 1642 e il 1665), abbiamo dati sulle principali collezioni dell'epoca e sul modo in cui veniva effettuato il restauro. Le opere più ammirate erano le tredici statue appartenenti al gruppo di Niobe e dei suoi figli, uccisi tutti dalle frecce di Apollo e di Artemide; il gruppo, venuto alla luce nel 1583, era stato acquistato per 2.050 scudi dal cardinal Ferdinando dei Medici e portato alla villa Medici. Si conosce un disegno di Annibale Carracci ripreso da Niobe ed influssi di quella passione e disperazione si riscontrano nelle prime opere del Maderno e del Mochi; l'attribuzione dei Niobidi oscillava, nel Seicento, tra Scopa e Lisippo, accrescendone così l'importanza.

Altro luogo privilegiato per lo studio dell'antico era la raccolta Farnese; tutti i marmi ritrovati negli scavi eseguiti nelle Terme di Caracalla tra il 1530 e il '50 furono raccolti in Palazzo Farnese; si conosce un catalogo parziale da un testo dell'epoca, *Di tutte le statue antiche, che per Roma nei diversi luoghi e case particolari si veggono raccolte e descritte per M. Ulisse Aldroandi*, 1556: "Una statua di marmo nero di donna vestita, una ninfa o baccante, una Pallade, il gruppo della Dirce legata al toro, noto sotto il nome di Toro Farnese, una Flora, una statua equestre nella quale mancano le teste del cavallo e del cavaliere, un busto di Antonio". Altra raccolta fondamentale era quella costituita dai marmi del Vaticano, il Laocoonte, l'Antinoo, l'Apollo del Belvedere. Nelle opere del Mochi si trova un'eco della statuaria neo-attica, compresa nella sua essenza di linguaggio "carnale e insieme impregnato di intellettualismo", dall'Annunciata e l'Angelo, ove anche i vuoti sono dedotti dal ritmo greco, alle ultime opere con il trattamento delle pieghe arcaicizzante e falcato.

Mochi e Camillo Mariani.

Il Mariani (1565-1611), formatosi a Vicenza attraverso la disciplina di Alessandro Vittoria, arrivato a Roma negli ultimi anni del Cinquecento, era l'unico esponente della scultura veneta qui presente. Nel periodo di tempo dal giubileo del 1600 al 1605, il Mariani realizzava il suo massimo capolavoro "negli otto figuroni di stucco di San Bernardo alle Terme, la cui importanza per le sorti della scultura a Roma non è minore della loro mole" (V. Martinelli). Nel periodo dei lavori in San Bernardo, secondo le fonti, sarebbe iniziato il rapporto di collaborazione tra Mochi e Mariani; dedicatrice della chiesa era Caterina Nobili Sforza, legata alla cerchia dei Farnese, probabile tramite per la conoscenza tra Mochi e Mario Farnese, il mecenate che nel 1603 raccomandava il Mochi agli operai del Duomo di Orvieto e che per sempre lo avrebbe protetto. La prima attività romana del Mochi è stata ricostruita da Valentino Martinelli, con l'apporto di una analisi stilistica che ha individuato tangenze con Mariani a cominciare dalle due statue di stucco della cappella Bandini in San Silvestro al Quirinale, un San Giuseppe e una Santa Marta. Documentata è la relazione di lavoro tra Mochi e Mariani nella cappella Paolina, 1609.

Mochi e i Farnese.

La famiglia Farnese aveva conosciuto il momento di massimo potere a Roma all'epoca di Paolo III Farnese, ma manteneva una posizione di grande prestigio, ancora ai primi del Seicento, con il cardinale Odoardo e con Mario Farnese signore di Latera, che vivevano a Roma, mentre Ranuccio era il temuto duca di Parma e Piacenza. Nella decorazione di palazzo Farnese, nei primi del Seicento, erano impegnati i pittori della cerchia di Annibale Carracci. Tutta la decorazione interna del palazzo era un'esaltazione dei "fasti" della famiglia, condotta con gusto raffinato, sul filo di un discorso allegorico, profano, libero dai vincoli dei precetti controriformistici. Nello spazio esclusivo della Galleria Farnese nasce "il grandioso stile romano" di Annibale, con l'assunzione di Raffaello come modello e con lo studio dell'antico; Annibale si avvale della collaborazione del fratello Agostino, del Domenichino, che forse accentua l'imitazione di Raffaello, di Lanfranco e dell'Albani. Il bibliotecario del cardinal Farnese, Fulvio Orsini, illustre studioso dell'antico, collaborò alla stesura dell'argomento, secondo accreditate ipotesi; l'intera decorazione fu comunque felicemente condizionata dal gusto raffinato dei Farnese, che nel clima controriformistico di Roma del Seicento potevano rappresentare nel loro palazzo "il trionfo dell'amore sull'universo".
Il corso della pittura italiana fu certamente in parte determinato dal soffitto della Galleria Farnese; a Roma si riformava una corrente classicistica, fondamentale nella dialettica dello stesso barocco. Nella cerchia dei Farnese lo studio dell'antico è caratterizzato da una nuova sensibilità e dal desiderio "del nuovo". Mochi ha direttamente lavorato per i Farnese a Roma, prima dell'inizio dei lavori di Orvieto ed ha avuto delle commissioni da Mario Farnese: "facendomi io fare alcune statue per casa mia da un giovane che io ho hauto ventura di buscarmi, che al giudizio mio può star a paragone di tutti i giovani, il quale o io non li sorte alcuna di gusto et di cognitione di queste cose, o son certissimo per quello che sin'hora ho visto di suo" (Mario Farnese, 4 marzo 1603).

IV. Orvieto. Il primo capolavoro.

Nel 1603 Mochi arriva ad Orvieto.
A metà del Cinquecento, con la pace di Câteau-Cambrésis (1559) ha inizio il predominio spagnolo in Italia e il predominio religioso della Chiesa controriformata. Sulla base del presupposto che tutta la produzione ideale e di pensiero cade sotto l'autorità della Chiesa, presupposto sancito e ribadito dal concilio di Trento, si avvia da un lato un processo di censura, dall'altro un processo di elaborazione originale, in funzione e per la destinazione religiosa dell'opera d'arte. La ristrutturazione del Duomo di Orvieto si colloca in questo preciso processo. Nel 1556 cominciano i lavori di rinnovamento del Duomo. Per un ventennio un gruppo di pittori si riunisce intorno alla figura di Gerolamo Muziano, uno dei principali tramiti tra la cultura figurativa dell'Italia settentrionale e centrale.
Il famoso Duomo gotico ne esce profondamente trasformato. La presenza di Muziano fu determinante, in quanto egli riuscì ad essere un polo di attrazione; troviamo ad Orvieto infatti Taddeo e Federico Zuccari, Niccolò Circignani e Cesare Nebbia, orvietano. A Orvieto è elaborata un'immagine religiosa che ha vero carattere "sacro", si sperimenta un nuovo apparato sacro, che ha nella pala d'altare verticale il momento didascalico-storico, inserito in una cornice-tabernacolo. Dopo la costruzione degli altari, oggi tutti rimossi, si intraprese una eccezionale decorazione scultorea, che prevedeva la disposizione dei dodici Apostoli, sopra dei piedistalli, appoggiati alle colonne della navata centrale del Duomo. Gli Apostoli, di dimensione maggiore del naturale, disposti in maniera veramente pre-barocca, si ergevano alti tra la folla; la straordinaria processione si concludeva con l'Annunciazione. Capomastro del Duomo era Ippolito Scalza, scultore orvietano. Lo Scalza eseguì varii Apostoli, tra cui il San Tommaso, ma per il programma così impegnativo si chiamarono i maggiori artisti dell'epoca: si commissionò un Apostolo, il San Matteo, al Giambologna, lo scultore più famoso del tempo. Il 6 luglio del 1600 arrivava l'opera del Giambologna compiuta dal Francavilla; mancavano ancora sei Apostoli. Non concluse le varie trattative tramite i Farnese di Parma per avere il Moschino, Mario Farnese raccomandò al Camarlengo dell'opera del Duomo di Orvieto il Mochi, nella famosa lettera del 1603.
"Il Mochi convenne per l'Angelo a prezzo da stimarsi e si allogò intanto (19 settembre 1603) a quindici scudi il mese in conto acciò si potesse trattenere in Orvieto con un suo giovane. Nel febbraio del 1605 lo aveva finito e ne chiedeva 900 scudi, ma per la sitma dello Scalza, che lo valutò alla pari del San Matteo del Giambologna, ne ebbe 600".
L'angelo, che ricorda in alcuni particolari bellissimi la Deianira del gruppo del Centauro del Giambologna, formalmente supera ogni concezione contrappuntistica, e così audacemente è colto nel volo. La figura, piuttosto esile, è letteralmente avviluppata in un panneggio, che risponde a leggi sapienti di "capriccio" e di ardita metafora, ora facendosi quasi conchiglia, sfrangiata sull'orlo, al modo dello stucco. Le ali partono dalle spalle, quasi implumi, per trapassare poi naturalisticamente nelle lunghe piume di uccello, di sapore ellenistico. Se il cerchio della manica sembra preso da un quadro del Caravaggio, la mano, oggi priva del suo bel giglio di marmo, mantiene tutta la saldezza

formale di una statua classica. "Statua coclide" (Del Bravo), la prima "cosa nova e bella" della scultura del Seicento.

L'Annunciata, terminata nel 1608, fu accolta con ostilità dal vescovo della città, il cardinal Sannesio, che tentò di impedire che fosse collocata nel Duomo. L'Annunciata, molto più alta e imponente dell'angelo, col volto di profilo, in atteggiamento meditativo, "foemina furens", coniuga la cultura classica con la popolare tradizione fiorentina dell'Annunciazione di origine bizantina, recitata nella festa dell'Annunciata a Firenze, come scena drammatica, che inizia con il rifiuto della Vergine all'invito dell'angelo. La statua si offre di tre quarti e la figura è valorizzata dal punto di vista che si ha dal suo lato sinistro. La statua è costruita in maniera fortemente asimmetrica ed è esposta alla luce, che rivela una sola parte del suo corpo flessuoso. Il lungo rapporto di lavoro, non sempre felice, con l'Opera del Duomo, procede con la commissione di due statue di apostoli, per il San Filippo, eseguito nel 1610, e per il San Taddeo, opera tarda, iniziata nel 1638 e consegnata solo nel 1644. Apparentemente simili, rivelano ad un esame attento singolari differenze.

V. La cappella Paolina. Mochi e gli artisti di Paolo V.

Paolo V fu un grande Papa ma non un Papa buono; il cardinale mite, senza nemici, protetto da Clemente VIII, vicario di Roma, si rivelò un Papa dispotico, assertore intransigente dell'assolutismo papale. Per questioni giurisdizionali minacciò i Savoia, le città di Lucca e di Genova ed arrivò all'interdetto contro Venezia. Di fronte alla minaccia di una guerra tra Venezia e Stato Pontificio, per la difficile situazione internazionale, il Papa dovette accettare il compromesso; "la contesa dell'Interdetto" fu sostenuta da Paolo Sarpi, che difendeva i diritti di Venezia, contro le pretese di Paolo V, sostenute dal cardinal Bellarmino. Nella politica interna, il Papa, preoccupato per le finanze della Chiesa, limitava le spese; solo il cardinal nipote, Scipione Borghese, restò famoso per il suo mecenatismo.

Cappella Paolina.

La cappella Paolina, iniziata nel giugno del 1605, è lo specchio più fedele dello stile e delle tendenze del mecenatismo papale. Il progetto è di Flaminio Ponzio, architetto di Sua Maestà, autore delle maggiori opere borghesiane; la cappella è posta in posizione simmetrica, rispetto all'asse mediano della chiesa, alla cappella Sistina voluta da Sisto V ed è da questa condizionata; nelle affinità e nelle differenze emerge chiaramente la trasformazione in atto a Roma. La fastosa decorazione a stucco, gli ori, le pietre preziose, non rispondono solo al gusto personale del Papa, ma sono una conferma delle tesi di teologi, quali Molanus, e dei gesuiti secondo i quali la chiesa doveva essere ornata dei più preziosi tesori; la Roma pagana si trasformava nella nuova Roma cristiana, risorgendo materialmente da quelle rovine, i marmi venivano tolti dagli antichi monumenti e persino da varie chiese e riutilizzati nelle nuove fabbriche. Tutti gli scultori, attivi in quel tempo a Roma, furono chiamati a collaborare al programma unitario della cappella, che nei due depositi di Clemente VIII e di Paolo V aveva l'elemento tematico centrale.

Le cinque statue di travertino segnano l'inizio dei lavori; si tratta di un programma iconografico che vuole onorare gli antichi Santi sepolti nei sotterranei della basilica; la loro fattura più grande del naturale manifesta la nuova tendenza al grandioso. Giovanni Antonio Peracca da Valsoldo eseguì il San Luca e il San Gerolamo, Stefano Maderno, in collaborazione con Francesco Caporale, il San Mattia apostolo e il martire Epaphra, e il Mochi il San Matteo e l'angelo.

Dai documenti la statua del Mochi risulta pagata complessivamente 200 scudi, mentre il Maderno e il Valsoldo con il Caporale, artisti già attivi in Santa Maria Maggiore, ricevettero 250 scudi per l'esecuzione di due statue. Si deduce pertanto dai pagamenti, che il Mochi giovane, alla sua prima commissione ufficiale che sia nota a Roma, è l'artista più pagato.

San Matteo.

L'opera rivela un distacco quasi polemico dalla corrente produzione manierista, specialmente se posta in relazione alla serie degli apostoli del Duomo di Orvieto. La statua risente di modelli pittorici, della prima edizione del San Matteo della cappella Contarelli del Caravaggio, ma anche del ben più modesto San Matteo di Cesare Nebbia (amico del Mochi), dipinto nella chiesa dei Cappuccini di Frascati. Nel Santo è manifesta la ricerca di un tono aulico e di una resa antimanieristica.

Alla fine del 1609 iniziarono i lavori all'interno della cappella; dai documenti il Mochi non appare impiegato in un primo momento, ma il suo nome figura solo dopo la morte di Camillo Mariani come continuatore dei suoi lavori (il San Giovanni e il rilievo della Presa di Strigonia nel deposito di Clemente VIII). I due depositi funebri di Clemente VIII e di Paolo V sono veri complessi architettonici, nella fattura seguono l'iconografia tradizionale e il gusto ufficiale. Per esigenze didascaliche i diversi artisti tendono ad un linguaggio omogeneo e semplice da comprendere, mentre sofisticata è la tecnica che oscilla tra motivi pittorici e virtuosismi scenografici. Dai documenti conosciamo la severità di giudizio con cui ogni singola opera veniva valutata, accettata o respinta.

Nel 1611 furono collocate nelle nicchie dei due depositi le statue dei pontefici, opera di Silla Longhi da Viggiù. Nel deposito di Clemente VIII sono rappresentate: la storia dell'impresa di Ferrara, opera del Bonvicino, la presa di Strigonia del Mariani, terminata dal Mochi, la storia della pace tra Francia e Spagna di Ippolito Buzio, la canonizzazione di San Giacinto del Peracca, oltre il bassorilievo di Pietro Bernini. Nel deposito di Paolo V sono raffigurate: la storia della fortificazione di Ferrara del Bonvicino, la storia del soccorso all'imperatore nella guerra contro i turchi, opera del Maderno, la storia del ricevimento dell'ambasceria del re del Congo di Cristoforo Stati, la canonizzazione di San Carlo Borromeo e di Santa Francesca Romana, opera del Peracca, e l'incoronazione del Papa di Ippolito Buzio.

L'iconografia riflette l'ideologia autocelebrativa del papato, sottolineando gli episodi di politica militare e le nuove canonizzazioni, momenti salienti della politica apostolica della riforma.

Alla decorazione pittorica lavorarono vari artisti, sotto la guida del Cavalier d'Arpino. Troviamo insieme artisti toscani, Cigoli, il Passignano, il bolognese Baldassarre Croce, Giovanni Baglione e Guido Reni della scuola "delli Carracci". La collaborazione di artisti così diversi, sotto la guida dell'arpinate, dopo il nodo Carracci-Caravaggio, e lo scontro tra "scuola naturale" di Caravaggio e scuola dei Carracci, si presenta come un compromesso; si cerca di supplire con l'erudizione storica alla mancata politica artistica. L'elemento più interessante è offerto dall'opera del Cigoli, che, nella sua pittura, trasmette le ultime novità della ricerca scientifica del Galilei.

VI. La cappella Barberini. Mochi e gli artisti di Maffeo.

Negli ultimi decenni del Cinquecento si individuano gli effetti dell'opera di riforma del Concilio e si assiste ad una notevole estensione dell'attività artistica, efficace strumento di propaganda. I nuovi ordini religiosi, nati all'epoca del Concilio, ormai consolidati, avevano necessità di chiese per le loro congregazioni; si costruiscono così a Roma molte nuove chiese. I Gesuiti consacrarono la chiesa madre dell'ordine, il Gesù, nel 1584, gli Oratoriani di San Filippo Neri, riconosciuti nel 1575, si trasferirono nella chiesa di Santa Maria in Vallicella, consacrata come Chiesa Nuova nel 1599, e i Teatini, dediti essenzialmente alla cura dei malati negli ospedali, iniziarono la costruzione di Sant'Andrea nel 1591.

"Nel sito, dov'è fabbricata questa chiesa, era il palazzo dei signori Piccolomini... il sito fu donato ai padri Teatini perché vi edificassero un tempio ad onore di Sant'Andrea Apostolo". Nel 1621 veniva solennemente inaugurata la cupola, una delle opere più belle di Carlo Maderno, che aveva avuto l'incarico di proseguire i lavori della costruzione disegnata da Giacomo della Porta. Coeve ai lavori del Maderno sono le cappelle gentilizie concesse alle famiglie Strozzi, Rucellai e Barberini.

Maffeo Vincenzo Barberini, figlio di un ricco mercante fiorentino, ottenuta nel 1604 la porpora, in pochi anni divenne il cardinale più influente di Roma, grazie anche all'appoggio della Francia, ove era stato nunzio. Educato dai gesuiti, avvocato della Curia, amico di artisti e letterati, autore di odi egli stesso, nel 1608, nominato vescovo di Spoleto, si appresta ai lavori per la cappella gentilizia in Sant'Andrea, quasi in gara con il cardinal nepote, Scipione Borghese, "delicium Urbis" per la sua fama di mecenate, e con il cardinale Pietro Aldobrandini, nipote di Clemente VIII (impegnato nei grandiosi lavori della villa di Frascati e nel completamento della cappella gentilizia in Santa Maria sopra Minerva).

Il primo documento dell'opera di decorazione della cappella Barberini è del 1608: "Maffeo Barberini ordina marmi per le sculture che dovranno ornare la cappella a Matteo Pellegrini". Mentre la cappella Strozzi si attiene a un gusto michelangiolesco (copie di statue di Michelangelo per la decorazione), per le cappelle Rucellai e Barberini si ricorre ad un architetto dal gusto lombardo: Matteo Castelli di Melide. La cappella Barberini si distingue dalle altre per l'impostazione del programma iconografico, minuziosamente sorvegliato dal cardinale, come dimostrano le lettere di Maffeo al Passignano, autore della decorazione pittorica, con storie della vita di Maria. Il programma della cappella è unitario: la "memoria" della famiglia è sotto la protezione della Vergine, i due San Giovanni, il Battista e l'Evangelista, sono i santi protettori fiorentini e le due sante, Santa Marta e Santa Maddalena, simbolo della vita attiva e della vita contemplativa (come Lia e Rachele di Michelangelo per la tomba di Giulio II). Si delinea l'immagine del personaggio protetto dalle due sante; virtù e studio, una *religio* eroica in cui "charitas" e "doctrina" sono unite per il fine tanto atteso, il trionfo sull'eresia.

Santa Marta e la Riforma.

La Santa segue l'iconografia tridentina della santa col drago, corrispondente femminile di San Giorgio, ove la storia della Salvatoris hospita, di Betsabea, si associa alla storia della santa di Tarascona, che libera le popolazioni da un drago che distruggeva il paese. Le affinità con la figura della "Reformatio" nell'iconografia del Ripa (testo diffusissimo tra gli artisti) sono evidenti; la donna, il drago, la testa della vittima di fattura classica sono temi della "Reformatio", la Santa Marta mantiene il suo aspersorio, mentre la "Riforma" ha, come attributi minori, una falce ed un libro (con la frase "Pereunt discrimine nullo Amissae Leges"). La compresenza di più significati è tipica della poetica colta della cerchia del Barberini, come il piacere sottile della verità nascosta. Il cardinale seguiva con interesse e preoccupazione continua le fasi di lavorazione della statua che Mochi aveva lasciata non finita, al momento della sua partenza per Piacenza. Nella cappella, primo lavoro dei Barberini, si manifestava la capacità del committente ad assolvere l'impegno e insieme il gusto, "il giudizio". Maffeo dimostra di tenere ad una continuità del gusto toscano, orientato verso il nuovo, con l'abbandono di ogni residuo formalismo accademico. Gli scultori chiamati sono gli stessi che operano nella cappella Paolina: Cordier, Stati, Bonvicino e Mochi; alla morte di Cordier, dopo molte esitazioni, viene chiamato Pietro Bernini a sostituirlo.

L'unità del programma iconografico non si traduce in unità visiva nei lavori della cappella, perché manca la capacità di coordinare il programma, anzi pare che ogni scultore dia la sua opera più tipica e più individualizzata; non si arriva ad un "bel composto", ma proprio in questo "disordine" compositivo si raggiunge una grande libertà espressiva. La Santa Marta, richiama l'Annunciata di Orvieto, ma insieme rinnova alcuni elementi: nella dialettica luce-ombra aumenta lo "scuro" e, per contrasto, le parti illuminate dalla luce aggettano in scorci e abbreviazioni audaci, con accentuata tridimensionalità. Alcuni meccanismi di costruzione sono tesi al massimo, il rapporto movimento-immobilità è più complesso che nell'Annunciata e l'accostamento di frammenti classici, quasi reperti di scavo, ad oggetti quotidiani, ritorna; la testa, un ritratto moderno, a differenza della testa dell'Annunciata e dell'angelo, abbandona il modello classico, il largo arco del mento dello stile neo-attico, e solo la posa inclinata del collo nasconde questo volto preso dal mondo quotidiano del Seicento.

Precedente iconografico la Santa Marta di San Silvestro al Quirinale, attribuita al Mochi, opera che ha un valore paradigmatico per l'iconografia della controriforma in quanto i Bandini, che erano i committenti, avevano interpellato per la loro cappella le massime autorità ecclesiastiche nel campo, Silvio Antoniano e Gabriele Paleotti.

VII. Alla corte Farnese. I cavalli di Piacenza.

Nel 1612 Mochi giunge a Parma con "doi suoi compagni scultori", Innocenzo Albertini e Pasquale Pasqualino, allievo del Mariani.

Il ducato di Parma e Piacenza, dal 1545 sotto la signoria dei Farnese, aveva conservato una certa importanza grazie ai servigi che Alessandro aveva reso a Filippo II di Spagna, quale condottiero dell'esercito spagnolo. Alessandro, divenuto duca di Parma e Piacenza nel 1586, fece di Parma una città militare, concentramento di armate per le grandi campagne spagnole contro la Francia. Nel 1592 Alessandro muore in una campagna di guerra nei pressi di Arras, e gli succede il figlio Ranuccio. Ranuccio provvide a dare una riforma amministrativa al ducato e si adoperò a fare di Parma una capitale moderna, avviando la costruzione di un nuovo teatro e ricostituendo l'università; a Piacenza favorì una politica di crescita urbanistica ed iniziò i lavori del nuovo palazzo, la Cittadella. Scoperto un complotto di nobili nel 1611-12, lo represse con crudeltà ed i suoi anni di governo furono caratterizzati dal sospetto e dalla tirannia. Dopo il complotto la città di Piacenza aveva decretato di erigere due statue "nella piazza grande... sopra due grandi colonne... a perpetua gloria..." di sua altezza serenissima Ranuccio e del padre, duca Alessandro. Il progetto primitivo delle statue su colonne venne mutato nel più moderno progetto delle due statue equestri. Ranuccio, anche se poco sensibile come mecenate, doveva certo apprezzare l'offerta fatta da Piacenza e accettò, in un primo momento, che si provvedesse alla statua a "perpetua memoria" di Alessandro.

Per l'eccezionale impresa, Mario Farnese ed il cardinale Odoardo da Roma proposero forse al duca Ranuccio Francesco Mochi. Il 10 giugno del 1612 Mochi giunse a Parma "coi doi suoi compagni scultori, i quali havevano da fare li cavalli et statue"; il 28 novembre, dopo aver presentato il bozzetto per il solo monumento di Ranuccio, si conclude il contratto che allogava i due monumenti al Mochi e al fonditore Marcello Manachi. Si conosce da una lista di spese redatta l'8 maggio del '13 la "spesa fatta in fabricare la fonderia". Lettere del Mochi, lettere di Mario Farnese, del duca Ranuccio, documenti della Congregazione, dei rappresentanti della città, attestano le alterne vicende di questa eccezionale impresa. Si conoscono i dati materiali, le spese minute, il numero e i nomi dei collaboratori, l'organizzazione del lavoro, gli entusiasmi e le umiliazioni dell'artista. Dopo l'arrivo nel '12, un primo stato dei lavori nel '13: alle spese per i materiali sono accluse le spese per "denari pagati agli statuari", Manachi, Mochi e sette aiutanti; a Mochi saranno pagati separatamente i piedistalli delle statue, con ornamenti di bronzo, "per li puttini che tengono le armi Farnesi, per li altri puttini che tengono le armi della città e per le suddette armi". Il progetto dei piedistalli subirà una modifica e la loro realizzazione sarà l'ultima fatica dello scultore a Piacenza. È del '14 la lettera a Mario Farnese con la quale il Mochi comunica la decisione "di pigliar tutta l'impresa"; la divisione dal Manachi è avvenuta ("ho risoluto ingoiare bocconi amarissimi più tosto che dar disgusto a S.A.S. et anco a questa città"). I lavori riprendono; nell'aprile del '16 va a Venezia e a Padova: "con grandissimo gusto e soddisfazione dell'animo mio ho veduto non solo la statua et caval di Padova (monumento equestre del Gattamelata di Donatello), ma ancora quelli di Venezia, si li antichi (i cavalli di San Marco) come il moderno (la statua equestre al Colleoni, del Verrocchio)". Mochi è ormai responsabile anche dei problemi della fusione e sia i cavalli che le statue devono essere fusi in un sol pezzo, per contratto; non bastano certo più i ricordi dello studio sul Marc'Aurelio, ed è sintomatico del clima antimanieristico che più che rifarsi all'ultima esperienza del Giambologna (il monumento equestre di Firenze a Ferdinando) Mochi risalga alla fase iniziale del classicismo rinascimentale. Riprendendo i lavori: 22 novembre 1616, "Nota delle materie qual bisognano per servitio delle statue"; "Per cinque mesi continoi libre due milla di rame, et libre duecento di stagno per ciascheduno mese, cominciando da Decembre prossimo...". Si procedette alla fusione: il lavoro risultò difettoso in qualche parte, ma il cavallo fu scoperto il 17 febbraio del 1618, ed i periti diedero un parere favorevole. A maggio del '19 inizia il ritratto del duca: la lettera del Mochi del 22 gennaio del '19, scritta da Parma, manifesta l'esasperazione dell'artista derivata dalla difficoltà di incontrare il duca; è sul punto di abbandonare l'impresa, ma superate le difficoltà nel novembre del 1620 la statua, finalmente ultimata, è scoperta con grandi festeggiamenti e con l'allestimento di un apparato effimero che si ricollegava alle parate dei tornei. Il 2 dicembre del 1620 il Mochi chiede una licenza di ottanta giorni; tornato a Montevarchi sposa il 1° gennaio del 1621 Contessa, figlia di Giovan Battista Nacchianti, di Montevarchi. Dopo le nozze si può ipotizzare un viaggio a Roma e nuovi rapporti con Maffeo Barberini per la Santa Marta, allora ultimata, come risulta da un pagamento in data 23 marzo 1621. Tornato a Piacenza inizia il secondo monumento. Nel marzo del 1622 muore Ranuccio e la reggenza per il figlio Odoardo viene assunta dalla vedova e dal cardinale Odoardo, uomo colto ed amante delle arti, in ottimi rapporti col Mochi. Dal 1622 al '29, malgrado la crisi economica che grava sul ducato, Piacenza vive un periodo di grande splendore. Nel censimento del 1618 la popolazione arriva a 33.380 abitanti, cifra non più raggiunta fino all'Ottocento. La città è divisa in quaranta parrocchie; letterati come il Morando, lo Stigliani e l'Achillini si stabiliscono nel ducato, attratti anche dalla tradizione editoriale di Parma e di Piacenza. Nel 1618 Giovan Battista Aleotti si trasferiva a Parma per la costruzione del teatro Farnese; suoi collaboratori furono il marchese Bentivoglio per l'architettura e lo scultore (lombardo) Marco Luca Reti e il pittore (bolognese) Lionello Spada per la decorazione della sala.

La nuova atmosfera politica e la padronanza ormai acquisita del mezzo tecnico contribuirono a rendere rapidissima l'esecuzione del secondo gruppo equestre, il grande capolavoro del Mochi, collocato sul piedistallo con grande festa nel 1623. Il volto del duca, eroe idealizzato, è più prossimo ai personaggi reali che in quegli stessi anni Rubens dipingeva a Parigi che alle effigia dei Medici nei monumenti del Giambologna. Il cavallo va ammirato per la finezza dei dettagli, più veri del vero e per la sodezza del modellato. Elemento nuovo è il rapporto tra il corpo del cavallo e il corpo dell'uomo partecipi dello stesso movimento. Facendo perno sul gruppo uomo-cavallo, il busto dell'eroe è inclinato in avanti, la spalla è circondata dal drappeggio del manto controvento che nasconde perfino l'armatura e le decorazioni; immagine colta in movimento, primo monumento del barocco europeo.

Tra il 1625 e il '28 sono portati a termine gli ornamenti dei piedistalli. Le iscrizioni sono dettate dal Morando, poeta ufficiale del ducato. Le "historie" del monumento di Ranuccio sono allegorie del Buon Governo e della Pace; le "historie" del monumento di Alessandro rappresentano due episodi della guerra in Fiandra, la costruzione del ponte di barche sulla Schelda e l'incontro di Alessandro con gli ambasciatori inglesi. Il Mochi si documentò attentamente sulle fonti, riprese tutti i particolari di una di esse da una stampa dell'epoca. Stilisticamente i due bassorilievi rappresentano un momento molto maturo dell'attività del Mochi; recepito il nuovo classicismo che si imponeva a Roma, lo scultore ne dà una versione originale, in modi talora tangenti a quelli del Lanfranco o di Pietro da Cortona, in quegli anni. Certo la permanenza a Parma porta il Mochi ad una frequentazione privilegiata con l'opera del Correggio, fonte inesauribile per gli sviluppi del barocco. Al termine della sua impresa, nel 1628 si inaugurava il teatro Farnese, con il torneo di Mercurio e Marte; complicate macchine sceniche furono costruite per creare uno sconfinato orizzonte con giochi di nuvole, un vero paesaggio barocco; l'influenza della scena allargava al verosimile l'esperienza del reale.

VIII. Alla corte di Urbano VIII.

Il pontificato di Urbano VIII, il "rettor del mondo". 1623-1644.

Alla morte di Gregorio XIV, Maffeo Barberini fu eletto papa col nome di Urbano VIII. Il suo "palazzo grande" in via dei Giubbonari, era stato come una "Accademia delle persone più letterate che allora in Roma vivessero"; il suo pontificato, culturalmente tipico, fu salutato con entusiasmo da letterati e scienziati. Francesco Bracciolini, nunzio in Francia, ne cantò l'elezione in versi.

Il Giubileo del 1625.

Il papa voleva restituire alla chiesa il rango di potenza europea e il Giubileo fu l'occasione opportuna. Più di 26.000 pellegrini arrivarono a Roma, tra questi Leopoldo arciduca d'Austria e Ladislao di Polonia, che ottenne anche un incarico in Vaticano e poté venerare la reliquia del Santo Volto; l'esposizione delle reliquie assumeva un'importanza rilevante, così come i festeggiamenti e gli apparati per le canonizzazioni. La suprema autorità del papato veniva ribadita con mezzi rappresentativi e simbolici. Bernini fu l'artista che meglio seppe dare realtà a quelle simboliche figure: "Bernini fu fortunato ad avere un papa come Urbano e Urbano fu fortunato ad avere un artista come Bernini", il Michelangelo del Seicento.

La corte di Urbano VIII.

Intorno alla figura del papa e della sua famiglia si creò un nesso tra attività artistica, istituti scientifici e competenze ecclesiastiche. Il pontefice era stato poeta e accademico: aveva fatto parte infatti dell'Accademia dei Gelati, con Fulvio Testi, Francesco Redi e Giovanni Ciampoli, ed era stato acclamato dai Lincei alla sua elezione; ma un ripiegamento mistico e moralistico gli aveva poi fatto prendere le distanze da questi sodalizi. Tutti i principali artisti dell'epoca ebbero contatti con la famiglia Barberini: Giambattista Marino, assente dall'Italia nel periodo dell'affermazione e dei primi anni del pontificato di Urbano, tornò nel 1624, acclamato come il maggior poeta del suo tempo, ma l'Inquisizione condannava come sacrileghi alcuni suoi scritti. Troppo sospetto di irreligiosità per partecipare al circolo dei poeti del papa, fu in contatto con il nipote, Francesco Barberini. La sua opera principale, l'*Adone*, stampata a Parigi e dedicata a Luigi XIII, fu presentata come il poema della pace. Gabriello Chiabrera, per la sua poesia classicistica, per la riscoperta dei metri oraziani ed ellenizzanti, fu in relazione con Urbano, che era stato allievo del poeta fiorentino Aurelio Orsi, Accademico degli Insensati. Imitatore e ammiratore di Pindaro, il Chiabrera creò una tradizione che ebbe grande fama. "La violetta / che in sull'erbetta / apre al mattin novella...".

Tommaso Campanella, uscito dalle prigioni del Sant'Uffizio, fu trattato benevolmente da Urbano, che lo consultò spesso per le sue facoltà divinatorie. Come poeta fu contrario al concettismo moderno ed avversario di tutti gli imitatori dei greci. "Il mondo è un animal grande e perfetto, / statua di Dio, che Dio lauda e somiglia". La poesia è per Campanella uno strumento filosofico di polemica, e lotta: "Io nacqui a debellar tre mali estremi / tirannide, sofismo, ipocrisia".

Urbano VIII e il mondo delle scienze.

Il Seicento fu il secolo delle Accademie: ne sorsero ovunque, volte a interessi disparati, filosofici, letterari, scientifici. Le lettere tra gli studiosi erano spesso le prime comunicazioni di grandi scoperte; alle scoperte seguivano le discussioni; preoccupazione essenziale era la conciliabilità tra scienza e Sacre Scritture, sostenuta da una grande fiducia nella validità del sapere scientifico. Le lettere di Galileo sono esempio tipico del metodo e del nuovo linguaggio scientifico; le nuove scoperte superano la cerchia degli iniziati, Galileo si rivolge ad un pubblico più ampio, i gesuiti intervengono in varie polemiche, la chiesa condanna le tesi di Copernico, Galileo difende le rivoluzioni scientifiche. "Una traiettoria è fatta di spazio e di tempo": si dice che Galileo facesse l'esperimento lanciando dalla torre di Pisa un pezzo di legno e un pezzo di piombo. La scoperta sarà di straordinaria importanza. Galileo era stato accolto amichevolmente da Urbano VIII nel '24, ma nel '32, quando uscì a stampa *Il dialogo sopra i massimi sistemi del mondo* arrivò da Roma l'ordine di sospendere le vendite e nel settembre fu imposto a Galileo di presentarsi al Sant'Uffizio. Il papa aveva messo limiti teologici precisi al nuovo progetto, Galileo li aveva considerati pura formalità; i gesuiti l'attaccarono, la benevolenza del papa si trasformò in severità implacabile. Nel 1633 la condanna di eresia: "d'aver tenuto e creduto che il sole sia al centro del mondo e imobile". L'abiura: "Io Galileo Galilei... all'età mia d'anni 70... giuro che sempre ho creduto, credo adesso, e con l'aiuto di Dio crederò per l'avvenire, tutto quello che tiene, predica e insegna la S. Cattolica e Apostolica Chiesa", 27 giugno 1633. Erano così finite le speranze di quei pensatori che avevano salutato in Urbano il portatore di una nuova cultura.

La gloria dei Barberini veniva ora esaltata con i monumenti, pubblici e privati; a Roma Urbano e i suoi familiari erano sempre più potenti. Si costruiva il palazzo Barberini (1625-33), "Il palazzo del principe di Palestrina, iniziato con l'architettura di Carlo Maderno, e con la soprintendenza di Domenico Castelli". "Fu questo vasto palazzo edificato col disegno del cav. Bernini... la volta della gran sala, è tutta dipinta da Pietro da Cortona, ed è la più bella opera, che di lui si vegga a Roma" (Titi). Terminata nel 1639, la volta, testo fondamentale della pittura barocca, celebra le glorie del papa e della famiglia, il cui stemma, le famose api, che avevano sostituito gli antichi tafani, è portato in cielo dalle virtù. A decorare il palazzo era stato chiamato, prima del Cortona, Andrea Sacchi, protetto del cardinal Antonio e amico del Bernini. Nell'affresco della volta di una sala il Sacchi aveva rappresentato la "Divina Sapienza" (1629-33), che illustra il testo apocrifo dalla Saggezza di Salomone: "Se pertanto voi vi dilettate con troni e scettri, o re dei popoli, onorate la sapienza affinché possiate regnare in eterno", con riferimento esplicito alla "sapienza" di Urbano. La sapienza di Urbano, la moderazione oraziana, la condanna "delle fugaci gioie della bellezza" nei versi scolpiti sulla base dell'Apollo e Dafne di Bernini, avrebbero sfidato i secoli, legati al magnifico capolavoro. Dafne ci commuove "rapita alla casa crudele di Dite"; per la prima volta i modelli del linguaggio mistico sono trasportati nella "favola", nella poesia antica. Urbano, amico, ammiratore del Bernini; a lui affiderà la trasformazione dell'Urbe, il baldacchino di San Pietro, le logge delle reliquie, gli allestimenti teatrali e persino il proprio monumento funebre.

La disfatta della guerra di Castro contro i Farnese; in politica estera, ormai lontana la vittoria della Montagna Bianca (1620), la guerra dei Trent'Anni procedeva tra trattati e editti che non tenevano più in alcun conto i propositi e le richieste di Urbano. Con la Bolla 'Futuram rei memoriam', del dicembre del 1637, il pontefice saluta e sancisce l'elezione di Ferdinando III di Ungheria; "in due cappelle pontificie, alla presenza di cardinali, si celebra una messa solenne" per l'elezione "Anno Decimoquinto. Apud Sctum Petrum sub Annulo Piscatoris...", ma il pontefice ha ormai perso gran parte del suo potere politico; in Francia il Richelieu assume il ruolo di nuovo mediatore delle sorti europee.

IX. I busti del Mochi. Il ritratto barocco.

"Stimo di gran momento, che nel principio dell'operazione e così nel mezzo e fine abbia lo scultore in testa la virtù principale di chi ritrae... se si fosse osservato questo ai miei tempi, non si vedrebbero soggetti famosi di bontà, ritratti come stregoni. Deve oltre a ciò lo scultore sapere, che l'antico effigiando vecchi, tutte le grinze minute sotto gli occhi... per lo più ha segnato le luci degli occhi... È di gran momento esprimer bene il collaro e vestito vicino al viso, perché sono efficaci a mutare un'aria... l'abito nobile dà nobiltà, il vile viltà" (Orfeo Boselli, *Osservazioni della scultura antica*). Dal Boselli conosciamo le regole, e il gusto dell'ambiente degli scultori che Mochi ha frequentato negli ultimi anni della sua vita. (Il testo di Boselli fornisce la bibliografia di uno scultore dell'epoca e lo stato delle principali collezioni di statue antiche; i collezionisti sono principi, cardinali, ma anche pittori e scultori moderni). Le polemiche sono aspre e vertono su particolari che sfuggono ad osservatori di un altro tempo. Il ritratto, il busto, la statua in genere devono essere giudicati da un artista dichiarato arbitro per una stima o un pagamento; anche per questo le regole sono precise.

Il Mochi si inserisce da protagonista nella storia "dei ritratti" del Seicento romano con il primo ritratto Barberini, il busto di Antonio, nipote di Urbano, nominato cardinale a soli ventidue anni. L'opera è stata, probabilmente, eseguita nel 1629, immediatamente dopo il periodo di Piacenza. Il corpo è enfatizzato rispetto alla testa; per le dimensioni, il Mochi può aver fatto riferimento al busto di Paolo III del Della Porta (opera che conosceva bene, per la sua intimità con la famiglia Farnese) ma sono introdotti cambiamenti significativi (Lavin). Del giovane è esaltata la spiritualità (nel volto di Alessandro Farnese era esaltata la generosità del condottiero), come nelle statue greche viene messa in evidenza "la virtù principale" del personaggio. Il busto del cardinal d'Aquino, in Santa Maria sopra Minerva, primo busto conosciuto del Mochi, eseguito secondo le ipotesi del Lavin nel 1621, non risulterà così diverso dal busto del cardinal Antonio, se lo esaminiamo dal punto di vista della "virtù" del personaggio. Le rughe segnate della fronte, più che osservazioni veristiche fatte da un modello, servono alla rappresentazione del carattere, idealizzato, mentre la precisione di alcuni dettagli è legata all'abilità tecnica del bronzista, che, nel marmo, riporta l'esperienza di quella tecnica. Al confronto con i busti del Bernini degli stessi anni, il busto di Pedro de Foix Montoya (Roma, Santa Maria in Monserrato) o il busto del cardinal Bellarmino (Roma, chiesa del Gesù), i busti del Mochi sono più idealizzati (è da tener ben presente la distinzione "che è tra ritrarre un vivo" o un morto, come distinzione che comportava regole precise). Lo scultore "deve ancora abbellire e non deformare il ritratto".

Tra Mochi e Bernini, verso gli anni trenta, si verificano tangenze stilistiche, proprio nel campo dei busti o ritratti iconici, probabilmente per l'influenza del più anziano dei due sul più giovane, sensibile certo al fascino e alla fama dell'autore dei monumenti equestri piacentini. Nel busto del Coppola, di Gian Lorenzo (o di Pietro e Gian Lorenzo), l'insistita aderenza al modello dei tratti del volto, e la mano del defunto che esce dal "sinus" del mantello, fanno collocare l'opera nella tradizione del ritratto romano. Gian Lorenzo abbandonerà poi l'eccessivo naturalismo, ma del ritratto romano mantiene, quando ritrae personaggi vivi, realismo e vivacità, mentre i busti del Mochi fanno sempre riferimento ad opere o a regole della scultura greca. Bernini, nel busto di Scipione Borghese del '32, supera il ritratto romano, con l'apporto dello "stile dinamico"; "la testa è presentata in un movimento momentaneo, l'occhio vivace sembra fissare l'osservatore e la bocca semiaperta, come se stesse parlando, lo invita a conversare" (Wittkower). Gian Lorenzo, superando la tradizione paterna, ha scoperto l'arte greca, anche per il ritratto oltre che per le favole antiche. Dopo il '30 le esperienze del Mochi e del Bernini divergono; Mochi lavora su temi della ritrattistica fiorentina degli ultimi anni del Cinquecento, Bernini, nella fase "del pieno barocco", crea nuovi tipi iconografici, con il superamento di ogni linea tradizionale. È significativo il confronto dei ritratti di Carlo Barberini. La statua del Mochi è la più fiorentina delle opere; l'inizio di rotazione della spalla suggerisce la figura che ruota attorno ad un perno, il contorno è fermo, ma l'umanità espressa dal volto pensoso di Carlo è un'esperienza lontana dal ritratto manierista. La testa di don Carlo di Bernini, inserita in una statua antica, con la collaborazione dell'Algardi, vero esempio di statua iconica, con mezzi prettamente plastici raggiunge il più alto significato simbolico: l'occhio senza pupilla, immobile, le sopracciglia dal disegno irregolare, come le rughe della fronte e le ciocche dei capelli scompigliate. Senza che sia alterata la serenità del volto, un effetto profondo di tensione interna si sprigiona da questa effigie, emula del ritratto antico. Dal '40 lo scultore antagonista del Bernini non è più il Mochi, ma l'Algardi, che proveniva da Bologna, educato al realismo temperato di classicismo dell'Accademia dei Carracci (Wittkower). Se nelle opere monumentali, Algardi è spesso debitore, per idee e composizioni, del Bernini, nei busti si può notare tutta l'originalità del "classicismo realistico" dell'Algardi. Un confronto tra il busto di donna Olimpia dell'Algardi e quello di Costanza Bonarelli del Bernini dà la misura della differenza tra le due linee, la sobria rappresentazione di carattere e la solidità plastica dell'Olimpia, la tensione emotiva resa dall'instabilità dell'immagine di Costanza.

X. Nell'ombra del Bernini. Gli anni trenta.

Il ritorno da Piacenza.

Mochi torna a lavorare nella cappella Barberini, dove la Santa Marta, emblema della Riforma, era da poco stata definitivamente sistemata nella nicchia, che a stento la contiene. È stata avanzata l'ipotesi che nel '29 il Mochi eseguisse i due putti per il frontespizio del lato sinistro contemporaneamente all'inizio dei lavori del "bel San Giovanni" che doveva sostituire quello di Pietro Bernini. Nello stesso periodo Urbano VIII gli commissionò la Veronica, una delle quattro statue per la nuova sistemazione che Gian Lorenzo Bernini dava alle Logge delle reliquie. Segno della grande fama che accompagnava l'autore dei monumenti piacentini e della stima che Urbano continuava a dimostrare nei suoi confronti; il lungo intervallo di tempo passato a Piacenza non aveva inciso sui rapporti del Mochi con la committenza romana e con i Barberini in particolare.

Mochi principe dell'Accademia di San Luca.

Il 20 gennaio 1633, "fu fatto princepe il Si.re Francesco Mochi scultore...". Nella seduta della congregazione del 6 gennaio era stato proposto "per il nuovo P(ri)n(ci)pe della no(st)ra Accademia" il Mochi, insieme a Pietro da Cortona, Francesco "Fiammingo" (il Duquesnoy) ed altri. Mochi ottiene così il massimo riconoscimento dall'ambiente romano; ha al suo attivo opere di grande prestigio, è il maggior esperto nell'opera della fusione, un conoscitore dell'antico. Il principe aveva una serie di rituali da compiere: "l'orazione" di ringraziamento per la nomina, la dichiarazione di poetica, la difesa della professionalità, con il solito confronto tra pittura e scultura, il paragone con gli antichi. Compiti teorici nuovi, mentre nuovi schieramenti si delineavano a Roma nell'ambiente degli artisti; polemiche tra Bernini e Borromini, tra Sacchi e Pietro da Cortona, tra Bernini e Mochi; differenze di princìpi e di convenzioni, che venivano espresse nelle discussioni dell'Accademia. La potenza di Bernini cresce, in funzione del suo ruolo di coordinatore di grandi lavori di *équipes*, di artista ufficiale di Urbano VIII. I suoi progetti, sempre più ambiziosi, prevedono la collaborazione di altri artisti in una condizione subordinata: pittura, architettura, scultura giocano ruoli intercambiabili per il fine ultimo, la fusione delle arti. Questa condizione di lavoro rende difficile al Mochi la realizzazione della Veronica, statua che risente nell'impianto generale di un punto di vista privilegiato imposto dall'unità concettuale del Bernini; a torto la Veronica è stata considerata un'opera dipendente stilisticamente dal Bernini, come una tardiva conversione del Mochi al soggettivismo del Bernini. L'opera non è berniniana e al Bernini non piacque.

Il gruppo del Battesimo.

Nel 1634 il Mochi riceve probabilmente una importante commissione dalla famiglia Falconieri (con la quale Mochi era legato), che aveva ottenuto il giuspatronato della cappella dell'altare maggiore di San Giovanni dei Fiorentini. Il progetto della cappella fu affidato a Pietro da Cortona: "egli costruì, per questa grandiosa invenzione, un modello in scala naturale, di cui si ha la registrazione in vari documenti e fonti e in un disegno. Il modello restò in piedi per vent'anni ed esercitò una considerevole

influenza sui maggiori artisti del tempo, quali l'Algardi, il Borromini, e lo stesso Bernini; il Borromini lo sostituì infine con un altare stabile, che ne riprende numerosi elementi" (Lavin). L'opera del Mochi era quindi legata al progetto di Pietro da Cortona; al 1634 risalgono forse i modelli in stucco e forse la prima sbozzatura del Cristo. Nel 1634 il papa prese visione del modello, in una visita a San Giovanni dei Fiorentini. Mochi condusse i lavori con lentezza ma la vera ragione per cui l'altare non fu compiuto non ci è nota; nel 1644 "si mandava a cavar marmi per il San Giovanni" che in alcune parti appare non finito, forse per la morte dello scultore. Dal testamento di Orazio Falconieri del 1656, sappiamo che egli "ha dato principio di fare et adornare la cappella dell'altar maggiore secondo il modello del Borromini". Le statue del Mochi, pagate e ritirate dopo la sua morte, non furono mai collocate nel magnifico spazio scenico per esse creato sull'altare, e dalla cantina di palazzo Falconieri finirono su ponte Milvio, a Roma, fino alla loro attuale collocazione nel Museo di Roma.
La cappella di San Giovanni era il primo esempio a Roma di altare integrato alla cappella, con una pala d'altare a "materiali misti" illuminata da una luce reale che fungeva da luce divina. Allo stato attuale degli studi non è possibile avere la certezza che gli stucchi del Mochi (se mai vi furono) siano rimasti per vent'anni circa sull'altare, con il modello di Pietro da Cortona.
Un ultimo interrogativo: lavori non terminati, mancanza di notizie, carenze documentarie per il Mochi, negli ultimi anni del pontificato di Urbano VIII. Una momentanea eclissi da collegarsi alla guerra di Castro, guerra che il pontefice conduceva contro i Farnese? Il Mochi, da sempre vicino ai Farnese, di Roma e di Parma, rimane legato ai suoi protettori (anche dopo la morte di Mario Farnese; nel suo testamento è nominato un Farnese come esecutore delle sue volontà) e potrebbe aver risentito nella propria attività di un clima ostile nei loro confronti.

XI. Alla corte Pamphilj. Gli ultimi anni del Mochi.

Mochi, valente scultore, abitava "nella solita casa di via Gregoriana" con "la moglie Contessa, i figli Maddalena di 16 anni, Annamaria di 14 e Giobatta di 12 e con Chiara Zuccarelli di Spoleto, serva, anni 20" (1649, Status Animarum, Sant'Andrea delle Fratte).

Il pontificato di Innocenzo X, 1644-55. Donna Olimpia Maidalchini Pamphilj, cognata del papa, l'onnipotente "cardinal padrone".

A Roma il 1648 fu un anno cruciale, il grano scarseggiava, si dovette ridurre il peso della pagnotta e fare il pane più scuro. Quando la miseria, male ormai endemico a Roma, si identificò con la vera e propria fame, le notizie degli arricchimenti di donna Olimpia esasperavano a tal punto il popolo, che, sotto palazzo Pamphilj a piazza Navona, il partito dei malcontenti minacciava con imprecazioni e pasquinate la famiglia del papa, malgrado il gran numero di guardie che sorvegliava il palazzo. "Chi dice Olimpia Maidalchina dice danno, malanno, rovina". "Nell'esasperazione il popolo attribuiva a lei tutte le colpe... lei era informata di tutte le accuse, ma le premeva soltanto che non arrivassero alle orecchie del papa, la cui ripugnanza agli scandali era ben nota" (D. Vassalli Chiomenti, Donna Olimpia, Roma 1979). L'ondata d'impopolarità che circondava donna Olimpia investì anche la persona del papa e toccò il culmine all'epoca della pace di Westfalia. Nel 1648 la pace di Westfalia, dopo trent'anni di guerra, segnava la fine del predominio asburgico e dell'influenza politica del papa. Nel 1649 il desolante episodio della "piccola guerra di Castro" rivela l'esasperazione di Innocenzo X: invasa Castro, il pontefice ne decretò la distruzione completa per cancellare, insieme al nome della magnifica cittadina di Paolo III, il ricordo di tanti mali, guerre, nepotismi, disastri economici, a quell'episodio collegati. Per la costruzione di tutti gli edifici, "ad ornatum urbis", Innocenzo X aveva scelto come consulente il padre Virgilio Spada, dell'Oratorio filippino della Chiesa Nuova, il quale si avvalse sempre dell'opera del Borromini; al Borromini furono affidati i lavori del Collegio di Propaganda Fide, i restauri di San Giovanni e probabilmente la ristrutturazione di San Paolo (non più realizzata), insieme ad una parte dei lavori per Palazzo Pamphilj con Sant'Agnese e la ristrutturazione di piazza Navona.
La costruzione della grande fontana Pamphilj con l'obelisco di Caracalla, disseppellito dal Circo di Massenzio, stava particolarmente a cuore ad Innocenzo X per il valore simbolico della operazione, ma la fontana del Borromini non fu mai realizzata perché nel frattempo il Bernini era riuscito a farsi presentare a Donna Olimpia e, col suo aiuto, ad ottenere l'incarico della fontana, presentando un bozzetto con l'obelisco e le quattro statue dei grandi fiumi, bozzetto che convinse subito Innocenzo X per la bellezza dell'impostazione ardita. Finiva con la commissione della fontana dei fiumi il periodo di eclissi del Bernini durato in tutto quattro anni.
Al progetto di ristrutturazione di San Paolo del Borromini, solo come ipotesi, si potrebbero collegare le due statue del Mochi: il San Paolo e il San Pietro, commissionate dall'abate di Montecassino per la Basilica di San Paolo.

Le due statue si trovavano nella casa del Mochi al momento della sua morte; sono infatti elencate nell'inventario dei beni del Mochi, redatto il 13 marzo 1654. I monaci "ricusarono di volerli" e "di finire di pagarli"; dopo un'azione legale, la cui prima sentenza risaliva al 1652, le statue furono acquistate da Alessandro VII, pagate alla vedova e sistemate dal Bernini nel prospetto esterno della Porta del Popolo. Modellate per lo spazio grandioso di San Paolo, dovevano essere collocate "fuori della cappella maggiore, su due piedistalli da i lati" (Titi), vicino al ciborio di Arnolfo, probabilmente il San Pietro dalla medesima parte in cui si trova il San Pietro del ciborio e il San Paolo, di conseguenza, dalla parte del San Paolo di Arnolfo. Si coglie il riferimento ad Arnolfo, inteso nello spirito di rivisitazione dell'antico dell'epoca e, in particolare, nei modi liberi che il Borromini dimostra in San Giovanni; non un ossequio alla grammatica delle forme ma citazioni e licenze, variazioni sul tema. Per Mochi lo studio del romanico e del gotico era certo una consuetudine dal periodo di Parma, con l'opportunità che aveva avuto di studiare l'Antelami, ma coincide negli anni quaranta con l'interesse per il medioevo del Borromini, interesse quasi polemico verso lo stile ufficiale e le opere del Bernini. Elementi della tradizione gotica hanno avuto un peso importante nel linguaggio borrominiano, che si rivela anche nello schema proporzionale verticalistico, ma vengono accentuati nella polemica contro il Bernini. Anche nelle due statue del Mochi, simili al coevo San Taddeo di Orvieto, si nota l'accentuazione verticale ed una alterazione complessiva delle proporzioni, come risulta dal confronto delle misure, in senso anti-barocco e anti-rinascimentale. Come nel Borromini, una religiosità di segno diverso, una ricerca personale che non trova il suo posto nei nuovi "cantieri barocchi" e accentua la sua diversità. In occasione del quarto centenario della nascita del Mochi le due statue sono state tolte dalla loro ubicazione, sottoposte ad esame ed interventi conservativi. "La pulitura ha rivelato l'alta qualità della tecnica scultorea... La lavorazione del marmo è raffinatissima: i panneggi scavati con sicurezza sono ridotti, a tratti, ad un minimo spessore dalla trasparenza alabastrina, vene, muscoli, tendini delle parti corporee scoperte risaltano naturalisticamente... le superfici erano accuratamente rifinite come attualmente mostra il piede destro di San Pietro, l'unico ad aver conservato l'aspetto originale terso e lucido" (Cardillo Alloisi).

Sezione fotografica

I pannelli qui riprodotti sono stati realizzati
dall'arch. Piero Micheli

I

L

M

N

O

L·EVRIDICE
D'OTTAVIO
RINVCCINI
RAPPRESENTATA
NELLO SPONSALITIO
Della Christianiſſ.

REGINA
DI FRANCIA, E DI
NAVARRA.

IN FIORENZA, 1600.
Nella Stamperia di Cosimo Giunti.
Con licenza de' superiori.

P

Q

R

S

T

A

B

C

D

F

G

H

I

L

M

N

A

B

C

D

E

F

G

H

I

L

M

N

O

P

Q

R

A

B

C

D

E

F

G

25

H

I

L

M

N

O

P

Q

A

B

C

D

E

F

G

A

B

C

D

E

F

G

H

I

L

M

N

O

P

Q

L

M

N

O

P

Ranuceis (?) IV Duca:

Q

R

S

T

A

B

C D E F G H

I L

L   M   N   O   P   R   S   Q

A

B

C

D

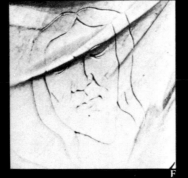

E

F

H

G

I

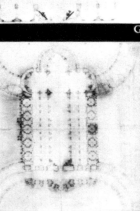

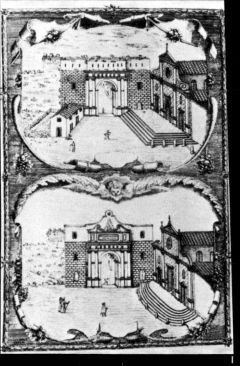

I

L

M

N

O

P

Tavola I
Da Montevarchi a Firenze. La formazione.

A. Antico stemma di Montevarchi. Terracotta policroma robbiana, Montevarchi, palazzo comunale.

B. Veduta di Montevarchi quale si presentava nei secoli XVI e XVII, con le sue due chiese all'interno della cerchia muraria.

C. Foglio del Libro di battezzati e battezzate, estratto dai libri della Prioria di Montevarchi: "Francesco di Lorenzo di Francesco Mochi fu battezzato a dì 29 di luglio 1580, compare Gabriello di m. Francesco di San Piero in bagno, cancelliere in Montevarchi".

D. Stemma mediceo, Firenze e Siena, arazzo, Roma, palazzo Madama; Alessandro Allori, manifattura fiorentina, arazziere Guasparri Papini. Con la presa di Siena, nel 1557, Cosimo I iniziava la sua opera di ingrandimento e fortificazione del ducato.

E. Benvenuto Cellini, ritratto di Cosimo I, Firenze, Bargello, bronzo, 1545-1548.

F. Giorgio Vasari, autoritratto da *Le Vite*, 1568. Vasari fu artista prediletto da Cosimo, architetto, pittore, portavoce ufficiale della cultura del granducato.
Nel 1563 Cosimo patrocinava la costituzione dell'Accademia del disegno fondata dal Vasari. Vengono eletti capi Cosimo e Michelangelo. Nel 1568 il Vasari dedicava "allo Illustr. ed Eccell. Signor Cosimo de' Medici Duca di Fiorenza e Siena" la seconda edizione delle *Vite*.

G. Cosimo I ritratto durante i lavori delle fortificazioni del porto di Livorno. Incisione. "La vigilanza del duca Cosimo restaurava la pubblica e privata economia... guarniva la costa della Marina con fortilizi e ne allontanava con le proprie forze i corsari" (R. Galluzzi, *Istoria del Granducato di Toscana*, Firenze 1781).

H. Giusto Utens, veduta della villa medicea a Poggio a Caiano, per il "salone delle ville" della residenza di Artimino, Firenze, Museo di Firenze com'era, 1600 ca. Nella villa di Poggio a Caiano morirono nella stessa notte, nell'ottobre del 1587, Francesco I e Bianca Cappello.

I. Giovanni Stradano, La vetreria, Firenze, Palazzo Veccchio, Studiolo di Francesco I.

L. Santi di Tito, Le sorelle di Fetonte, Firenze, Palazzo Vecchio, Studiolo di Francesco I.

M. Veduta d'insieme dello Studiolo. Francesco I, dedito a sperimentazioni alchimistiche e naturalistiche, fece realizzare lo Studiolo negli anni 1570-75. Il programma è di Vincenzo Borghini, coordinatore dei lavori il Vasari, che affidò il compito della decorazione ai suoi allievi migliori: Alessandro Allori, Santi di Tito, Giovan Battista Naldini, Maso da San Friano, Francesco Morandini detto il Poppi, Jacopo Zucchi, chiamando anche artisti affermati come lo Stradano e il Cavalori. Vennero allogate ai migliori scultori dell'epoca le statuette che dovevano ornare le nicchie.

N. Giambologna, Cosimo I, Firenze, Bargello, bronzo. È l'unico busto che rappresenta Cosimo, non "à l'antique", ma in corazza contemporanea, con l'insegna del Toson d'oro (1562 c.).

O. Giovanni dall'Opera, Busto di Francesco I negli ultimi anni della sua vita; non è rappresentata l'insegna del Toson d'oro, conferitagli dall'imperatore Massimiliano, suo cognato, solo nel 1585, malgrado egli fosse passivamente legato alla politica spagnola.

P. Baldassarre Lanci (1510-1571), bozzetto scenografico, Firenze, Uffizi. Firmato: Baldassarre Lanci da Urbino ingegnere. Per le nozze di Francesco con Giovanna d'Austria, sorella dell'imperatore Massimiliano (1565), il Borghini annunciava nella rappresentazione della *Cofanaria* (regia e scenografia del Buontalenti e del Vasari) l'uso dei periatti; nei lavori del Lanci la mutazione di scena avveniva tramite la rotazione dei periatti, di cui probabilmente era considerato lo specialista.

Q. Frontespizio dell'*Euridice* di Ottavio Rinuccini rappresentata nel 1600 in occasione delle nozze di Maria de' Medici con Enrico IV di Francia. Scena del Buontalenti, rappresentazione nel teatro mediceo. Primo esempio dell'opera in musica.

R. Bernardo Buontalenti, L'Inferno, IV intermezzo per la *Pellegrina*, commedia rappresentata a Firenze nel 1589 in occasione delle nozze di Don Ferdinando de' Medici e di Madama Cristina di Lorena, granduchi di Toscana.

S. Chimera, Firenze, Museo Archeologico, bronzo. Cultura di corte e collezionismo privilegiano il passato etrusco della Toscana; la Chimera, rinvenuta nel 1553 durante i lavori alle fortificazioni di Arezzo, verrà posta in Palazzo Vecchio nella Sala di Leone X dopo il 1562.

T. Alessandro Allori, Trofeo con strumenti militari, Firenze, Palazzo Vecchio, arazzo, manifattura fiorentina. L'arazzeria fiorentina, fondata da Cosimo I nel 1545, provvide, in un primo momento, a tutti gli arazzi per gli ambienti che si stavano rinnovando all'interno di Palazzo Vecchio. Gli arazzi più famosi furono disegnati dal Bronzino (Agnolo di Cosimo), maestro dell'Allori.

U. Ex-voto di Cosimo II, commesso in pietre dure con cornice di metallo dorato, Firenze, Museo degli Argenti. All'epoca di Cosimo I si inizia la lavorazione del commesso, un disegno cioè formato da diverse pietre di vario colore tagliate e accostate. Francesco proseguì la raccolta e la lavorazione di pietre dure chiamando anche "virtuosi" stranieri; nel 1588 Ferdinando, appena divenuto duca, con un motu-proprio diede stabile ordinamento all'opificio.

Tavola II
L'educazione artistica a Firenze. L'arrivo a Roma.

A. Santi di Tito, Annunciazione, Firenze, Santa Maria Novella, 1603; l'opera è terminata nell'anno della morte dell'artista.

B. Giambologna, Mercurio, Vienna, Kunsthistorisches Museum, bronzo. Opera eseguita nel sesto decennio del Cinquecento, caratteristica per il moto spiraliforme e per la rappresentazione del momento culminante dell'azione.

C. Pietro Tacca, Statuetta di Luigi XIII, Firenze, Bargello, bronzo. Dal 1605 il Tacca è il primo collaboratore del Giambologna, ed esecutore dei suoi ultimi progetti: il cavallino, databile al 1615-16, presenta la caratteristica posizione dei monumenti equestri del Tacca.

D. Giambologna, Monumento equestre di Ferdinando I, Firenze, piazza SS. Annunziata. Il bronzo del monumento proveniva dai cannoni delle galere turche, catturate dai Cavalieri di Santo Stefano, per questo si può leggere, inciso nel sottopancia del cavallo "De' metalli rapito al fero trace".

E. Giambologna, Allegoria di Francesco I de' Medici, Vienna, Kunsthistorisches Museum, bronzo. Questo bassorilievo segna un ritorno al gusto pittorico, nel vario aggetto del rilievo e nei virtuosismi tipici della "maniera".

F. Roma, veduta del piano sistino. Un tracciato stradale a forma di stella collega le principali basiliche dell'Urbe; la più imponente realizzazione che Sisto V (1585-90) promosse per il Giubileo del 1600.

G. Giordano Bruno, incisione. 19 febbraio 1600: "Giovedì fu abbrugiato vivo in Campo di Fiore quel frate di S. Domenico di Nola, eretico pertinace. Con la lingua in giova, per le bruttissime parole che diceva, senza voler ascoltare né confortatori né altri. Era stato dodici anni in prigione al S. Offizio, dal quale fu un'altra volta liberato".

H. Giuseppe Cesari, detto il Cavalier d'Arpino, decorazione musiva della cupola di San Pietro, 1603-1613. La commissione segue i lavori per il giubileo nelle navate piccole in San Pietro. Fu questo il lavoro più importante del cavalier d'Arpino; il Papa Clemente VIII, cerca di proseguire l'impostazione di Sisto V nel decorare i grandi luoghi sacri.

I. Cavalier d'Arpino, Ascensione di Cristo, Roma, San Giovanni in Laterano. L'Arpino è il coordinatore di tutta la decorazione del transetto di San Giovanni, l'impresa più impegnativa del giubileo dell'anno 1600.

L. Federico Barocci, studio compositivo per l'Istituzione dell'Eucarestia della cappella Aldobrandini nella chiesa di Santa Maria sopra Minerva a Roma (1603-1607). Seconda redazione, dopo che Clemente VIII aveva rifiutato la prima ed aveva chiarito puntualmente "il senso suo"; le varianti imposte dal pontefice sono dettate da esigenze di maggior "decoro" nella figura di Cristo.

M. Michelangelo Merisi da Caravaggio, foto-montaggio del primo San Matteo dipinto per la cappella Contarelli di San Luigi dei Francesi, in Roma, che fu sostituito dal secondo San Matteo. La prima edizione, rifiutata o comunque sostituita, è andata distrutta nel corso dell'ultima guerra mondiale.

N. Cavalier d'Arpino, Il ratto delle Sabine, Roma, Campidoglio, Sala degli Orazi e Curiazi. I Magistrati Capitolini stipularono un contratto con il pittore che prevedeva la fine dei lavori per il 1599; si voleva avere la sala pronta per il giubileo del 1600. Le storie sono ricavate da Tito Livio ed a un accento liviano si attiene "la grande maniera" del d'Arpino.

Tavola III
A Roma. I Farnese, la cultura classica, i primi lavori.

A. Palazzo Farnese. Antonio da Sangallo, Michelangelo, Vignola, Giacomo della Porta. Nel 1514 iniziano i lavori su commissione del cardinal Alessandro, il futuro Paolo III. Nel 1549, muore Paolo III; il cardinale Alessandro e il cardinale Ranuccio proseguono i lavori. Nel 1589 il cardinale Odoardo, cardinale a sedici anni, si installa nel palazzo e fa eseguire da Daniele da Volterra la decorazione della sua camera. I lavori terminano con la decorazione della Galleria Farnese (1595-1603).

B. Taddeo Zuccari, volta della sala dei Fasti Farnesiani, Caprarola, palazzo Farnese, 1566. Gli affreschi furono commissionati dal cardinale Alessandro secondo il programma iconografico di Annibal Caro.

C. Galleria Farnese, palazzo Farnese, Roma. Veduta d'insieme incisa da Giovanni Volpato (1733-1803). Annibale Carracci, Agostino Carracci, Domenichino. 1597-1600. Annibale, ricollegandosi alle ultime opere di Raffaello, reinventava l'arte profana a Roma con un indirizzo classicistico.

D. Guido Reni, Annunciazione, Roma, cappella del Quirinale. Guido Reni, come Annibale di origine bolognese, abbandonato l'indirizzo naturalistico dell'Accademia degli Incamminati, esprime in modo ideale "le ragioni del cuore"; "Reni è il pittore del sentimento morale" (Argan).

E. Annibale Carracci, Ercole e Iole, Roma, palazzo Farnese, galleria Farnese, affresco, 1597-1600. "I quadri riportati" della volta rappresentano scene di mitologia greca con la celebrazione degli amori degli dei. La figura dell'eroe si ispira alla celebre statua ellenistica dell'Ercole Farnese.

F. Francesco Albani, Diana e Atteone, Dresda, Pinacoteca. Albani, nella bottega di Annibale dal 1595, accentua l'elemento di classicismo idealizzato del maestro.

G. Federico Zuccari, Taddeo Zuccari studia le statue del Belvedere, disegno, Firenze, Uffizi. Questo disegno testimonia lo studio dall'antico degli artisti.

H. Tazza Farnese, cammeo ellenistico in agata sardonica, particolare della parte interna, Napoli, Museo Archeologico Nazionale.

I. Toro Farnese, copia di età antonina da un originale della metà del I secolo a.C.,

Napoli, Museo Archeologico Nazionale. Il gruppo (Anfione e Dirce), scoperto durante il pontificato di Paolo III, fu studiato dal Giambologna per il Ratto delle Sabine; rimane matrice di molte opere manieristiche.

L. Niobe e i Niobidi, scoperti a Roma nel 1583 ed acquistati dal cardinale Ferdinando, furono esposti nella Villa Medici, sul Pincio. Ora a Firenze, Uffizi.

M. Peter Paul Rubens, studio dall'antico, disegno. Nel 1600 Rubens è in Italia "per studiare da vicino le opere dei maestri antichi e moderni e per perfezionarsi sul loro esempio".

N. Nicolò Cordier (1567-1612), Sant'Agnese, Roma, Sant'Agnese fuori le mura. Il Cordier, chiamato il Franciosino, fu artista prescelto da Paolo V, da Maffeo Barberini e da Clemente VIII, fu famoso anche come restauratore di opere antiche.

O. San Bernardo alle Terme, 1598-1600, veduta con San Bernardo. "De' torrioni che ebbero le Terme di Diocleziano, quello che restò intiero fin al 1598, Caterina Sforza, contessa di S. Fiora, l'accomodò in una bella chiesa a onore di S. Bernardo" (Titi, 1763).

P. Francesco Mochi (attribuiti), Santa Marta e San Giuseppe, Roma, San Silvestro al Quirinale, cappella Bandini, stucco. Le due statue sono state attribuite, per ragioni stilistiche, alla fase della prima attività romana del Mochi.

Q. Camillo Mariani, Santa Caterina di Alessandria, Roma, San Bernardo, stucco, 1600. Una delle statue di San Bernardo. "Gli otto figuroni nelle nicchie sono di Camillo Mariani da Vicenza, e del Mochi e la cartella con gli angioli sopra la porta, e incontro altri angeli son medesimamente lavoro suo" (Titi, 1763).

R. Abside della cappella Paolina, Roma, Santa Maria Maggiore. Le cinque statue di travertino, che si trovano nelle nicchie della facciata esterna, segnano l'inizio dei lavori di scultura per la cappella Paolina, 1608.

S. Francesco Mochi, San Matteo, Roma, Santa Maria Maggiore. Prima opera documentata del Mochi a Roma. I pagamenti accertano le fasi della lavorazione (1608-1609), la suddivisione dei lavori ed i rispettivi compensi; tra Giovanni Antonio Peracca, Stefano Maderno, Francesco Caporale, e il Mochi, risulta il Mochi l'artista che ha ricevuto un compenso più alto.

Tavola IV
Orvieto. Il primo capolavoro.

A. Duomo di Orvieto. Alla fine del Duecento e all'inizio del Trecento Orvieto è luogo di convergenza delle più importanti personalità della cultura artistica italiana: Lorenzo Maitani, Arnolfo di Cambio, Simone Martini.

B. Girolamo Muziano, La Veronica, Orvieto, Museo dell'Opera del Duomo, tela, 1557. Muziano è uno dei principali tramiti tra la cultura figurativa dell'Italia settentrionale e centrale; la sua presenza ad Orvieto è determinante nell'opera di trasformazione del Duomo, avvenuta tra il 1556 e il 1575.

C. Cesare Nebbia, Natività di Maria, Orvieto, Museo dell'Opera del Duomo, tela, 1567-1569. Il Nebbia, orvietano, iniziò la collaborazione col Muziano ad Orvieto e proseguì la collaborazione col maestro a Roma, ed a Frascati; artista impegnato nei lavori per il papa Aldobrandini e per i Borghese, influenzò l'ideologia figurativa dell'ambiente orvietano. Ebbe frequenti rapporti col Mochi.

D. Ippolito Scalza, San Tommaso, firmato, Orvieto, Museo dell'Opera del Duomo, proviene dall'interno del Duomo. Lo Scalza, orvietano, fu capomastro del Duomo dal 1567 al 1617 e ne diresse la grande decorazione scultorea anche durante il periodo in cui Mochi si stabilì ad Orvieto. Caratteristici dello Scalza gli atteggiamenti dei personaggi colti all'inizio del "moto" e la resa minuziosa di oggetti quotidiani: all'episodio sacro è data l'apparenza del fatto quotidiano.

E. Giambologna e Pietro Francavilla, San Matteo, Orvieto, Museo dell'Opera del Duomo, marmo, 1595. Proviene dal Duomo; nella fascia sul petto la scritta: Opus Gioanis Bologne; sotto il braccio destro: Petri Francaville f. L'apostolo non presenta l'iconografia tradizionale del San Matteo; è utilizzato infatti un modello generico di apostolo.

F. Giovan Battista Caccini, San Giacomo Maggiore, Orvieto, Museo dell'Opera del Duomo, marmo, 1589-1591. Proviene dal Duomo.
Scultore e architetto fiorentino, fratello del musicista, allievo del Dosio; collaborò con lui Pietro Bernini in Santa Trinita a Firenze. Dagli anni ottanta, oltre ad ese-

guire sculture per Napoli, partecipa alle maggiori imprese medicee in Toscana. Si nota nella sua arte una componente controriformistica unita ad un moderato classicismo.

G. Interno del Duomo di Orvieto, incisione. È visibile la decorazione scultorea come appariva prima della rimozione delle statue.

H. Francesco Mochi, Angelo annunciante, Orvieto, Museo dell'Opera del Duomo, marmo, 1603-1605. Opera firmata, originariamente presso l'altare, all'interno del Duomo.
Prima opera documentata del Mochi: "Nel febbraio del 1605 lo aveva finito e ne chiedeva 900 scudi, ma per la stima dello Scalza, che lo valutò alla pari del San Matteo del Giambologna, ne ebbe 600".

I-L. Francesco Mochi, Vergine annunciata, Orvieto, Museo dell'Opera del Duomo, marmo, 1605-1608. Originariamente presso l'altare, di fronte all'angelo. L'Annunciata, "foemina furens", stimata dallo Scalza e dal Nebbia cinquecento piastre, non piacque al cardinale Sannesio, vescovo della città, che tentò di impedire che fosse collocata nel Duomo; solo l'intervento del papa a favore del Mochi risolse la questione. Il rifiuto, assai grave, rispecchia una diatriba apertasi con il testo del Gilio sugli errori dei pittori; Mochi si era permesso un'eccessiva libertà dal punto di vista dell'iconografia.

M. Particolare dell'Angelo annunciante, incisione. Il giglio, scolpito a somiglianza di un giglio dipinto da Santi di Tito o dallo Zuccari in una Annunciazione, è oggi perduto.

N. Caravaggio, San Matteo e l'Angelo, Roma, San Luigi dei Francesi, cappella Contarelli, 1602.

O. Francesco Mochi, particolare della Vergine annunciata, Orvieto, Museo dell'Opera del Duomo. "È anche poco composto e poco modesto, in quel subito levarsi da serere, l'atteggiamento che prende la persona" (si riporta una critica dell'Ottocento, espressa dal soprintendente ai monumenti, Fumi, 1891).

P. Francesco Mochi, San Filippo, Orvieto, Museo dell'Opera del Duomo, marmo, 1609-1612. Proviene dall'interno del Duomo. Mochi lavora al San Filippo contemporaneamente agli ultimi lavori, da lui eseguiti nella cappella Paolina, in Santa Maria Maggiore. Il corpo allungato e il modulo ridotto della testa rappresentano un ricordo giambolognesco, ma l'attenzione alle ultime novità del Caravaggio differenzia questo apostolo dagli altri della teoria orvietana.

Q. Francesco Mochi, San Taddeo, Orvieto, Museo dell'Opera del Duomo, marmo, 1631-1644. Proviene dall'interno del Duomo. "1631, giugno 3... Che il marmo a spese della R.F. debba condursi in Roma et alla casa della sua solita habitazione..."; iniziata nel '31, la scultura arrivò ad Orvieto soltanto il 10 agosto del 1644, "tirata da nove paia di bufale".

Tavola V
La cappella Paolina. Mochi e gli artisti di Paolo V.

A. Interno di Santa Maria Maggiore, incisione. La teoria delle colonne è interrotta dai due archi d'accesso alle cappelle Sistina e Paolina, simmetrici rispetto all'asse della chiesa.

B. Paolo V (Camillo Borghese, papa dal 1605 al 1621). Il busto è opera di Gian Lorenzo Bernini. Roma, Galleria Borghese, 1616 c.

C. Apparato effimero per la facciata di San Pietro, terminata da Paolo V; "l'ornamento" fu realizzato per le feste per la canonizzazione di San Carlo Borromeo, "l'anno 1610 a dì primo di novembre" da Girolamo Rainaldi.

D. Camillo Mariani e Francesco Mochi, La presa di Strigonia, particolare del deposito di Clemente VIII, Roma, Santa Maria Maggiore cappella Paolina. I primi pagamenti al Mariani sono del gennaio del 1611; il 23 luglio del 1611 subentra il Mochi: "Alli eredi di Camillo Mariani e per lui a Francesco Mochi scultore..." "per lavori fatti e da farsi", "della Historia della presa di Strigonia". I documenti hanno portato la conferma dell'attribuzione al Mochi di parte della storia, per motivazioni stilistiche.

E. Cappella Sistina, Roma, Santa Maria Maggiore. Commissionata da Sisto V a Domenico Fontana, decorata in uno stile "pragmatico" da artisti fiamminghi e lombardi.

F. Cappella Paolina o Borghese, Roma, Santa Maria Maggiore. Iniziata nel giugno del 1605, il progetto è di Flaminio Ponzio, architetto di Sua Santità, autore delle maggiori opere borghesiane.

G. Deposito di Paolo V, Roma, Santa Maria Maggiore, cappella Paolina, 1608-1615. Vi lavorarono: Ambrogio Bonvicino, Stefano Maderno, Cristoforo Stati, Giovanni Antonio Peracca e Ippolito Buzio. La statua di Paolo V è di Silla da Viggiù. Le 'Historie' rappresentano i momenti più importanti del pontificato di Paolo V, tra questi la canonizzazione di San Carlo Borromeo e di Santa Francesca Romana.

H. Pianta e sezione della cappella Paolina, incisione.

I. Ottavio Leoni, Ritratto del cavalier d'Arpino, disegno, Roma, Accademia di San Luca. Il Cavalier d'Arpino era il coordinatore di tutta la decorazione pittorica della cappella Paolina.

L. Cigoli (Ludovico Cardi, 1559-1613), Assunzione della Vergine, cupola della cappella Paolina, particolare. Il Cigoli, amico di Galilei, rappresenta nell'affresco le nuove scoperte scientifiche dello scienziato. Il 22 aprile 1611, Galilei era stato ricevuto da Paolo V: "io sono stato straordinariamente favorito" (Galilei, lettera a Filippo Salviati, da Roma).

M. Figure che accompagnano il primo abbozzo del Sidereus Nuncius, autografo di Galileo, Firenze, Biblioteca Nazionale.

N. Particolare della luna dell'affresco del Cigoli, che segue le descrizioni galileiane.

O. Cigoli, particolare dell'affresco in un pennacchio della cupola della cappella Paolina, alla decorazione della quale intervenne, fra gli altri, anche Guido Reni. "De Picturis Guidonis Rheni in sacello esquilino Sanctissimi Domini Nostri Pauli V" è il titolo dell'ode di Maffeo Barberini dedicata alla pittura.

P. Pietro Bernini, Incoronazione di Clemente VIII, particolare del deposito di Clemente VIII, Roma, Santa Maria Maggiore, cappella Paolina.

Q. Jacob Cobaert e Pompeo Ferrucci, gruppo marmoreo di San Matteo e l'angelo, Roma, SS. Trinità dei Pellerini. Nel 1602 il Cobaert consegnava la statua, il solo San Matteo, ai committenti della cappella Contarelli in San Luigi dei Francesi. La statua veniva rimossa nello stesso anno per essere sostituita dal San Matteo del Caravaggio. L'angelo, eseguito dopo il 1615, è opera di Pompeo Ferrucci, scultore attivo nella cappella Paolina. La figura dell'apostolo costituisce una testimonianza di manierismo nordico. L'opera fu certamente studiata da Mochi.

R. Francesco Mochi?, bozzetto per una statua di San Matteo, Roma, Museo di Palazzo Venezia, terracotta (attribuzione di Valentino Martinelli).

S. Camillo Mariani e Francesco Mochi, San Giovanni Evangelista, Roma, Santa Maria Maggiore, cappella Paolina, marmo, 1610-1612. Nel luglio 1611, alla morte del Mariani, subentra Francesco Mochi nel completamento della statua.

Tavola VI
La cappella Barberini. Mochi e gli artisti di Maffeo.

A. Francesco Mochi, Santa Marta, Roma, Sant'Andrea della Valle, cappella Barberini, 1609-1621. Il 20 gennaio del 1610 Maffeo ordina ai suoi tesorieri un pagamento al Mochi di scudi 50 "a buon conto della fattura di una statua di marmo di Santa Marta". Il 23 marzo 1621, il cardinale Maffeo dà ordine ai signori del Sacro Monte di Pietà di pagare "al Sig. Fran.co Mochi scudi centotredici di moneta che scudi cento sono per serv.o della fattura di una statua di marmo bianco di Santa Marta per serv.o della mia Cappella di Santo Andrea della Valle, e tredici sono per tanti che ha spesi nel farla mettere in opera". I documenti dell'Archivio Barberini risolvono perentoriamente il problema cronologico della statua, iniziata quasi contemporaneamente ai lavori della cappella Paolina e terminata nel soggiorno a Roma del 1621, dopo le nozze avvenute a Montevarchi, il primo gennaio, in un periodo di ottanta giorni di vacanza dalla corte Farnese, finito il primo monumento equestre.

B. Carlo Rainaldi, progetto della facciata di Sant'Andrea, Roma, Biblioteca Vaticana. Il Rainaldi fu incaricato di erigere la facciata, rispettando nelle linee essenziali il progetto del Maderno. 1555-1585.

C. Parete della cappella Barberini, Roma, interno di Sant'Andrea della Valle.

D. Cristoforo Stati, La Maddalena, Roma, Sant'Andrea della Valle, cappella Barberini, 1610-1612. La Maddalena, simbolo della vita contemplativa, può essere considerata il capolavoro dello Stati. Nativo di Bracciano, educato a Firenze, fu scultore dei Borghese e dei Barberini. Famoso per il suo classicismo adrianeo, nella Maddalena anticipa elementi barocchi. La Santa sembra il corrispettivo in scultura della Maddalena del Pulzone, di pochi anni anteriore, che si poteva ammirare nella Chiesa Nuova.

E. Ambrogio Bonvicino, San Giovanni Evangelista, Roma, Sant'Andrea della Valle, cappella Barberini, 1610-1612. Come lo Stati, il Bonvicino è uno scultore della generazione precedente al Mochi. Principale scultore di Paolo V in San Pietro, attivo nella cappella Paolina, esponente del gusto lombardo, mantiene nel marmo le caratteristiche soluzioni decorative della lavorazione dello stucco.

F. Francesco Mochi, Santa Marta, Roma, Sant'Andrea della Valle, cappella Barberini. Nel confronto diretto con le altre statue della cappella, l'opera del Mochi rivela, insieme ad elementi stilistici di una tradizione colta comune a tutto l'ambiente, vera ed originale inventiva. Alcuni particolari richiamano l'Annunciata di Orvieto, come la striscia di stoffa che trattiene le pieghe del tessuto della manica e il mantello negligentemente annodato; altri elementi rappresentano prestiti dal Bonvicino o dal Mariani. Brani di classicismo puro si uniscono con spontaneità a un contatto diretto con la realtà. La severa "Salvatoris hospita" emana un'impressione di grazia e freschezza unica nella scultura di quel periodo.

G. Pietro Bernini, San Giovanni Battista, Roma, Sant'Andrea della Valle, cappella Barberini, 1614-1615. La statua era stata commissionata a Nicolò Cordier (1609), morto nel novembre del 1612. Solo in un secondo tempo si affida il compito per la medesima statua a Pietro Bernini; il 1614 segna l'inizio del rapporto del cardinal Maffeo con la famiglia Bernini, importante data post quem dunque per il rapporto di amicizia che si stabilirà tra il cardinale e Gian Lorenzo Bernini. Gian Lorenzo, collaboratore del padre sin dalla primissima età, nel 1615 presenta caratteri di assoluta originalità nei confronti dell'opera paterna.

H. Frontespizio della parete sinistra della cappella Barberini. Putti attribuiti al Mochi, 1629. "Vi sono buone ragioni, sia stilistiche che documentarie per supporre che i due putti siano stati eseguiti nel 1629 dal Mochi" (Lavin). Sostituirono due punti di Gian Lorenzo eseguiti nel 1618, che nel 1632 sono menzionati nell'inventario della collezione Barberini, come provenienti dalla cappella.

I. Ritratto di Pietro Bernini, attribuito a Gian Lorenzo, Roma, Accademia di San Luca.

L. Pietro Bernini e Gian Lorenzo Bernini, Cherubino, frontespizio della parete destra della cappella Barberini, Roma, Sant'Andrea della Valle. Il 7 febbraio del 1618, Pietro Bernini sottoscrive un contratto con Maffeo, impegnandosi di eseguire quattro angeli per la cappella e di consegnarli prima del luglio 1619, "di mano mia e di mio figlio Gianlorenzo". È questo il primo documento in cui Gian Lorenzo è menzionato.

M. Gian Lorenzo Bernini, incisione.

N. Gian Lorenzo Bernini, San Sebastiano, Lugano, collezione Thyssen, 1616. Nel 1616 il Passignano dipingeva un San Sebastiano "per la cappelletta piccola annessa alla cappella grande" e un'indulgenza plenaria veniva accordata per la cappella nel dicembre del 1616; Gian Lorenzo dovrebbe avere eseguito il suo San Sebastiano per il medesimo luogo e alla stessa data. Lavin suggerisce chè la posa inusuale del Santo sarebbe da considerarsi determinata probabilmente dal blocco di marmo già in parte utilizzato per il San Giovanni del Cordier, e consegnato a Pietro Bernini. La statua non utilizzata per la cappella restò nel palazzo Barberini.

O. Medaglioni con le memorie sepolcrali di Antonio Barberini e Camilla Barbadori, genitori di Maffeo, Roma, Sant'Andrea della Valle, cappella Barberini. Il complesso fu commissionato dal principe Carlo, nel 1627-1628. I busti furono scolpiti su modelli di Gian Lorenzo, al quale si devono le due morti alate.

P. Cristoforo Stati, ritratto di Monsignor Francesco Barberini, 1631 - G. Giorgetti, ritratto di Carlo Barberini, 1675, Roma, Sant'Andrea della Valle, cappella Barberini.

Q. Francesco Mochi. San Giovanni Battista, Dresda, Hofkirche, 1629. L'opera era destinata a sostituire il Battista di Pietro Bernini (morto da pochi mesi), ma non fu mai collocata nella cappella per l'opposizione di Gian Lorenzo, ormai onnipotente a Roma.

Tavola VII
Alla corte Farnese. I cavalli di Piacenza.

A. Pianta di Piacenza. Bolzoni, 1627.

B. La Cittadella, palazzo ducale, sede del potere ducale, incisione del XVII secolo 'P. Perfetti, scul.'. Nella piazza della Cittadella si tengono giochi, balli e fuochi artificiali, in onore del duca, quando questi viene a Piacenza.

C. Incisioni dei due monumenti equestri. Dal Litta, incisione del 1820.

D. Cavalli di San Marco, Venezia. Cavalli di bronzo dorato provenienti da un monumento di età romana imperiale. Mochi si recò a Venezia nel 1616 per vederli.

E. Cavallo romano, Firenze, Museo Archeologico.

F. Marco Aurelio, dalla statua in Campidoglio, incisione del XVI secolo.

G. Donatello, monumento al Gattamelata, Padova, piazza del Santo, bronzo, innalzato nel 1453 su uno zoccolo in muratura, con rilievi in marmo. Nel 1616 Mochi vide a Padova "la statua et caval", prima di accingersi all'opera di fusione del cavallo e della statua di Ranuccio.

H. Verrocchio, monumento a Bartolomeo Colleoni, Venezia, campo dei Santi Giovanni e Paolo, bronzo, 1479-1488.

I. Peter Paul Rubens, ritratto del duca di Lerma, Madrid, Prado, 1603. Dal 1601 al 1605 Rubens è a Mantova al servizio dei Gonzaga, tra il 1605 e il 1606 a Genova, nel 1601-02 e dal 1606 al 1608 a Roma. Dopo il ritorno ad Anversa, inizia l'attività grafica (e la circolazione tra gli artisti italiani). Con le incisioni dei bulinisti della scuola rubensiana nasce già tra i contemporanei il mito di Rubens. I cavalli di Rubens preparano i monumenti barocchi, dopo quella famosa enciclopedia che è l'"Equus liber et incompositus" di Hubertus Golzius.

L. La piazza dei cavalli, Piacenza, incisione.

M. Casa probabile dell'artista, Piacenza.

N. Francesco Mochi, Putto dal monumento di Alessandro Farnese, Piacenza, piazza Cavalli. Nel resoconto del 1623 delle "spese fatte in fabricare le due statue equestri" sono comprese le spese per "otto putti che tengono le armi Farnesi... e per li altri otto che tengono le armi della città". Più ricciuti e costruiti in profondità due dei reggistemma, vicini al nuovo putto berniniano; al di fuori di ogni esperienza classica o moderna gli altri putti, seduti o arrampicati sui gradini del monumento, con i capelli lisci e le guance allargate verso il basso.

O. Francesco Mochi, Il ponte sulla Schelda, bassorilievo del monumento di Alessandro Farnese, Piacenza, piazza Cavalli, bronzo, 1625-1628. Documentato meticolosamente sulla realtà storica, su testi e su un'incisione, nello stiacciato delicatissimo rappresenta il parallelo in scultura della pittura di paesaggio del Seicento.

P. Francesco Mochi, Incontro di Alessandro Farnese con gli ambasciatori inglesi, bassorilievo del monumento di Alessandro Farnese, bronzo, 1625-1628. La scena, se ha molti precedenti nell'iconografia dei "fasti", sia veneti, che medicei, e nelle prime scene di battaglie tardo cinquecentesche, è completamente nuova per il superamento degli schieramenti ordinati e per il senso di moto che la pervade. Il piccolo ritratto di Alessandro è l'elogio più sincero di un condottiero che il Seicento ci abbia lasciato.

Q. Medaglie di Ranuccio e di Alessandro Farnese, incisione dal Litta del 1820. Dal 1625 Mochi lavorò anche all'incisione di monete, il doblone d'oro, e di medaglie.

R. Francesco Mochi, Statua in stucco di Ranuccio, Piacenza, Santa Maria di Campagna.

S. Francesco Mochi, Monumento equestre a Ranuccio Farnese, Piacenza, piazza Cavalli, bronzo, 1612-1620. "Rainutio Farnesio / Placentiae Parmae etc. duci IIII... Placentia civitas / principi optimo / equestrem statuam / D.D.". Così l'epigrafe dettata da Bernardo Morando, scrittore e poeta ufficiale del ducato.

T. Francesco Mochi, Monumento equestre ad Alessandro Farnese, Piacenza, piazza Cavalli, bronzo, 1620-1623. Nel gruppo di Alessandro, l'espressione di vita in movimento, la naturalezza della posa del cavaliere, ci offrono l'immagine di un eroe-mito, che il rimpianto di un'epoca migliore rende così amato. "Alexandro Farnesio / Placentiae Parmae etc. duci III / ... Placentia civitas / ob amplissima accepta beneficia / ob placentinum nomen / sui nominis gloria / ad ultimas usque gentes / propagatum / invicto domino suo / equestri hac statua / sempiternum voluit extare / monumentum". I versi del Morando accompagnano come una musica l'immagine transeunte.

U. Francesco Mochi, Bassorilievi del basamento di Ranuccio, bronzo, 1625-1628. Dopo molte incertezze, solo dopo la morte del duca si arrivò alla definizione dei soggetti: allegoria delle virtù del governo e allegoria degli effetti del buon governo. Interessante l'impostazione prevalentemente classica delle scene e la fissità di alcuni gesti; prova aulica parallela al "classicismo barocco" che si svilupperà a Roma negli anni trenta.

Tavola VIII
Alla corte di Urbano VIII.

A. Urbano VIII nel ritratto di Gian Lorenzo Bernini, Roma, Galleria Nazionale, 1625-1630. Attribuito al Bernini dal Martinelli (già attribuito al Sacchi).

B. David butta a terra la lira, anteporta per i "Poëmata" di Urbano VIII nell'edizione del 1631, incisa dal Mellan su disegno del Bernini. "Maphaei S.R.E. Card. nunc Urbani PP. VIII Poëmata". Peter Paul Rubens, anteporta per l'edizione di Anversa del 1634 con Sansone che estrae le api dalla bocca del leone da lui ucciso. Nei "Poëmata" del '31 Maffeo si accinge a buttare "il mostro" della poesia profana; i temi sono quelli convenzionali, ma sorprende una continua analogia tra letteratura e arte.

C. Giambattista Marino (Napoli 1569-1625) in un ritratto di Ottavio Leoni, Roma, Accademia di San Luca. Il Marino, principale poeta dell'epoca, appartiene alla cultura manieristica e anticipa temi barocchi; fu il primo a portare nel linguaggio della poesia amorosa gli schemi del linguaggio dei mistici.

D. Tommaso Campanella (Stilo 1568 - Parigi 1639) in un ritratto eseguito a Roma dal pittore di Stilo Francesco Cozza, Roma, palazzo Caetani, 1630 ca. Domenicano, passò circa ventisette anni in carcere, anche se, negli ultimi anni, in condizioni meno dure; a questo periodo risalgono le sue opere più note. Ottenne il favore di Urbano VIII, ma, per l'ostilità di alcuni settori del clero e l'attenuarsi dell'amicizia del papa, fu poi costretto a fuggire a Parigi.

E. Gabriello Chiabrera (1552-1638) in un ritratto di Ottavio Leoni, Roma, Accademia di San Luca. Il Chiabrera fu in relazione letteraria con il Barberini. Lavorò per la corte medicea in occasione del matrimonio di Maria de' Medici con Enrico IV ed ebbe molti seguaci, a Firenze, per la sua poesia pindarica.

F. Gian Lorenzo Bernini (1598-1680) in un ritratto di Ottavio Leoni eseguito nel '22, Roma, Accademia di San Luca. I biografi concordano sulla precocità di Bernini scultore; nel 1621 riceve la croce di cavaliere; prima del pontificato di Urbano VIII ha già creato, per Scipione Borghese, Apollo e Dafne, Plutone e Proserpina, i busti di Paolo V e il David, scolpito mentre il cardinal Maffeo gli teneva

lo specchio. L'aneddoto, vero o no, rivela la grande intimità che c'era fra i due personaggi.

G. Galileo Galilei (1564-1642) in un disegno di Ottavio Leoni, Firenze, Biblioteca Marucelliana.

H. Girolamo Frescobaldi (1583-1643) in un'incisione del Mellan. Organista in San Pietro dal 1609, il suo apporto fu determinante allo sviluppo delle forme strumentali. Frescobaldi mira alla fissazione dei temi che siano veri moduli strumentali, caratterizzati dalla instabilità ritmica e passibili di scomposizioni in brevi elementi variabili.

I. Raffaello e scuola, San Luca che dipinge la Vergine, Roma, Accademia di San Luca. Emblema dell'Accademia, istituita a Roma nel 1578 per interecessione di Girolamo Muziano presso il papa Gregorio XIII. Nel 1593 Federico Zuccari, principe dell'Accademia, diede i primi statuti.

L. Stemma dell'Accademia dei Lincei, Roma, Archivio Linceo. Accademia scientifica, fondata a Roma da Federico Cesi nel 1603. Fornita di biblioteca e giardino botanico, ebbe come emblema una lince, a sottolineare l'acutissima vista necessaria per l'osservazione della natura. L'Accademia, che aveva salutato l'elezione di Urbano VIII con scritti encomiastici, non esitò a sacrificare i suoi successi nella battaglia a favore di Galilei, "linceo" amatissimo.

M. Gian Lorenzo Bernini, Apollo e Dafne, particolare, Roma, Galleria Borghese, 1622-1623, 1624-1625. Sulla base epigramma di Maffeo Barberini: "Quisquis humi pronus..." "Chiunque tu sia che chino a terra racccogli dei fiori, vedi come io sono rapita alla casa crudele di Dite", "Chiunque preso d'amore insegue le fugaci gioie della bellezza, riempie le mani di foglie e raccoglie amari frutti".

N. Pietro da Cortona (P. Berrettini, detto, 1596-1669), Il trionfo della divina provvidenza, Roma, volta del salone di palazzo Barberini.

O. Nicolas Poussin, Morte di Germanico, Minneapolis, Institute of Arts, 1626-1628.

P. Gian Lorenzo Bernini, busto di Richelieu, Parigi, Louvre, 1640-1641.

Q. Philippe de Champaigne, triplo ritratto di Richelieu, Londra, National Gallery, 1640-1641. La tela porta nel retro la scritta che ne precisa il destinatario: il Mochi.

R. Francesco Mochi, Statua acefala e apoda del Richelieu, Niort, Museo.

Tavola IX
I busti del Mochi. Il ritratto barocco.

A. Francesco Mochi, busto del cardinale Antonio Barberini junior, Toledo (Ohio), The Toledo Museum of Art, 1629. Antonio fu creato cardinale nel 1627, a soli ventidue anni, e il ritratto è di poco posteriore.

B. Francesco Mochi, busto del cardinale Ladislao D'Aquino, Roma, Santa Maria sopra Minerva, 1621 (Lavin). Il cardinale, che era uno dei più favoriti candidati al trono papale, morì durante il conclave da cui uscì eletto Gregorio XV, nel febbraio del 1621, periodo in cui Mochi era a Roma.

C. Francesco Mochi, busto del cardinale Antonio Barberini junior, Toledo (Ohio), The Toledo Museum of Art, 1629.

D. Guglielmo della Porta (1500-1577), busto di Paolo III Farnese, Napoli, Galleria Nazionale di Capodimonte.

E. Gian Lorenzo Bernini, busto di Antonio Coppola, Roma, San Giovanni dei Fiorentini, 1612 (Lavin). Installato nel giugno del 1614; dai documenti si deduce che il ritratto si basava su una maschera funeraria, perché si fanno riferimenti a forme di cera e di gesso.

F. Alessandro Algardi, busto di Scipione Borghese, New York, The Metropolitan Museum of Art, marmo, 1633.

G. Gian Lorenzo Bernini, busto di Costanza Bonarelli, Firenze, Museo Nazionale del Bargello, marmo, 1635. Costanza Piccolomini, moglie dell'allievo di Bernini, Matteo Bonarelli, amata da Bernini e causa di scandali e liti, fu ritratta da Gian Lorenzo anche in monumenti ufficiali, come modella per figure allegoriche.

H. Gian Lorenzo Bernini, busto di monsignor Francesco Barberini, Washington, National Gallery, marmo, 1622 (Lavin); 1626 (Wittkower). Il Bernini, in questi busti, si dimostra molto attento alla tradizione precedente, ricorrendo a vere "citazioni" colte; fanno parte del bagaglio culturale del Bernini tutte le opere degli scultori della generazione precedente, dal Cordier, al Valsoldo e naturalmente al Mochi.

I. Gian Lorenzo Bernini, busto di Luigi XIV, Versailles, marmo, 1665. Ritratto allegorico ricordato nel diario dello Chantelou.

L. Francesco Mochi, busto di Carlo Barberini, Roma, Museo di Roma, marmo, 1630. Lavin mette in evidenza varie particolarità di questo busto (il taglio obliquo delle braccia, il movimento, ecc...) e lo considera concepito come pendant del busto del cardinal Antonio.

M. Francesco Mochi, busto di Carlo Barberini, retro, Roma, Museo di Roma.

N. Busto di Carlo Barberini, incisione da un disegno del Mochi; da H. Tetius, *Aedes Barberinae ad Quirinalem*, Roma, 1642.

O. Gian Lorenzo Bernini, testa di Carlo Barberini, dettaglio di una statua antica, restaurata dall'Algardi e dal Bernini, installata in Campidoglio nel 1630. Carlo, che era stato fatto generale della Chiesa nel 1623, morì a Bologna nel 1630. Le braccia e le gambe della statua sono dell'Algardi.

P-Q. Francesco Mochi, busto di Pompilio Zuccarini, Roma, Galleria Nazionale d'Arte Antica, marmo, 1638. Proviene dal Pantheon; è stato restaurato nel 1969 dall'Istituto del Restauro di Roma. Attribuito dal Lavin, citato come opera del Mochi dal Titi.

R. Francesco Mochi, busto di Pompilio Zuccarini, particolare, Roma, Galleria Nazionale d'Arte Antica.

S. Cotta del '600, lavorazione bolognese.

Tavola X
Nell'ombra del Bernini. Gli anni trenta.

A. Pietro da Cortona, progetto per l'altar maggiore di San Giovanni dei Fiorentini, Windsor Castle, Royal Library, disegno, 1634. Su commissione di Orazio Falconieri, Pietro da Cortona fornì il modello in scala naturale, che restò in piedi per vent'anni. La pala d'altare rappresentava il Battesimo di Cristo, ed era stata commissionata al Mochi (I. Lavin, *Bernini e l'unità delle arti visive*, Roma, 1980). Il progetto prevedeva sculture a tutto tondo, per il gruppo principale, e bassorilievi per gli elementi secondari della composizione. Il progetto del Cortona fu sostituito da un progetto di Borromini ed il gruppo del Mochi non fu mai collocato sull'altare.

B. Gian Lorenzo Bernini, Cappella Raimondi, Roma, San Pietro in Montorio, 1640-1647. "Il trattamento della cappella implica un'elaborata evocazione delle norme classiche, con il proposito preciso di sovvertirle, per ottenere un'unità di tipo nuovo" (Lavin). Il rapporto del Bernini con Pietro da Cortona è evidente.

C. Francesco Borromini (1599-1667), altar maggiore della cappella Falconieri, Roma, San Giovanni dei Fiorentini, dopo il 1656. Nell'esecuzione il Borromini tiene conto del modello di Pietro da Cortona, apportando modifiche irrilevanti, ma la pala d'altare di Antonio Raggi sostituiva il gruppo del Mochi troppo estraneo al nuovo gusto improntato al mistico stile tardo del Bernini.

D. Francesco Mochi, Cristo e il Battista, gruppo centrale per il Battesimo dell'altar maggiore di San Giovanni dei Fiorentini, Museo di Roma, dopo 1634.

E. Guidobaldo Abbatini, Gian Lorenzo Bernini mentre presenta a Urbano VIII il progetto delle Logge, Roma, Confessione di San Pietro, affresco, 1631.

F. Francesco Mochi, La Veronica, particolare, "vera icona", vera immagine, Roma, San Pietro, dopo il 1629.

G. Gian Lorenzo Bernini, San Longino e il baldacchino di San Pietro (1624, inizio dei lavori del baldacchino; 1628-1640, logge delle reliquie). Quattro reliquie andavano ad arricchire il tesoro di San Pietro. Urbano VIII diede a Bernini l'incarico della sistemazione delle reliquie nei pilastri portanti della cupola: "i quattro pilastri divennero così dei colossali reliquiari, memento del sacrificio di Cristo e di coloro che ne erano stati testimoni. Bernini diede una forma visiva a questo concetto..." (Lavin).

H. Francesco Mochi, La Veronica, Roma, San Pietro, 1635-1640. Mochi eseguì la statua per desiderio del papa, ma i rapporti con il Bernini, già tesi a livello personale, dovevano creare difficoltà ad un artista come il Mochi non abituato a dipendere, per la posa, l'impostazione, le misure della statua da un progetto unitario, vincolante e che rispecchiava concezioni estetiche probabilmente a lui estranee. Le quattro statue, tutte di autori diversi, sono concepite a coppie contrastanti e complementari.

I. Andrea Bolgi (1605-1656), Sant'Elena, Roma, San Pietro.

L. François Duquesnoy (1597-1643), Sant'Andrea, Roma, San Pietro.

Tavola XI
Alla corte Pamphilj. Gli ultimi anni del Mochi.

A. Innocenzo X (Giambattista Pamphilj, papa dal 1644 al 1655) ritratto da Diego Velázquez, Roma, Galleria Doria Pamphilj, 1650. Assurto al Soglio nel 1644, riprese l'alleanza con la Spagna e combatté il partito filofrancese, colpendo così i Barberini, che furono costretti ad abbandonare Roma e tutti i loro averi, che il papa fece confiscare. Il pontefice contava su un discreto patrimonio familiare, oculatamente gestito, con l'aiuto di donna Olimpia; poté pertanto incrementare costruzioni e demolizioni per abbellire le sue proprietà e avviare nuovi lavori pubblici per il Giubileo del 1650. Sin dall'elezione Innocenzo X aveva scelto come consulente di tutte le sue costruzioni il padre Virgilio Spada, dell'oratorio filippino; nel conferirgli la carica di Elemosiniere, lo aveva anche nominato suo "architetto privato". Lo Spada chiamò per i principali lavori il Borromini.

B. Donna Olimpia in un busto di Alessandro Algardi, Roma, Galleria Doria Pamphilj, marmo, 1646. Olimpia Maidalchini Pamphilj, cognata di papa Innocenzo X, si trovò a fungere da "cardinal padrone"o primo ministro del governo temporale dello Stato della Chiesa, per un decennio (1644-1655) (Chiomenti Vassalli).

C. Veduta di piazza Navona. A sinistra l'isola dei Pamphilj, il palazzo, la Galleria, Sant'Agnese. Piazza Navona era un luogo "dove stanno l'Historiari, Revenditori di libri vecchi, Ferraroli, Fruttivendoli, Ciarlatani, e in essa si fa ogni mercoledì il mercato": era una piazza popolare e sporca. Innocenzo X, per ingrandire il suo palazzo, provvide a far sgomberare il mercato e a spianare una casa che toglieva luce al retrostante palazzo Pamphilj (Chiomenti Vassalli). Il lavoro di trasformazione fu affidato al vecchio Girolamo Rainaldi e al figlio Carlo. Borromini e Pietro da Cortona lavorarono alla Galleria, Rainaldi e Borromini alla chiesa di Sant'Agnese; "la piazza comparirà in avvenire molto adornata con l'esser state gettate a terra diverse case... e con la condotta di molt'acqua che scaturirà in mezzo d'essa in varie fontane circondanti una guglia da innalzare nel mezzo di essa con molta spesa" (relazione di Alvise Contarini, ambasciatore veneto, 1647).

D. Bernini a cavallo inaugura la fontana dei Fiumi, particolare di un quadro, Roma, Museo di Roma. Bernini riuscì ad avere la commissione della fontana per l'appoggio avuto da donna Olimpia.

E. Francesco Borromini in una caricatura di Carlo Fontana, Roma, collezione privata.

F. Gian Lorenzo Bernini, cappella Cornaro, Roma, Santa Maria della Vittoria, 1647-1651. Eseguita nel periodo di disgrazia del Bernini, che era stato citato in causa, già negli ultimi anni del pontificato di Urbano VIII, per le lesioni della facciata di San Pietro ed era stato condannato a pagare una gravosa multa. Nel periodo di disgrazia, nei primi anni del pontificato di Innocenzo X, accettò quindi il Bernini l'incarico della cappella privata del cardinal Cornaro, creando il suo massimo capolavoro, "il bel composto". "Il punto di partenza del Bernini fu la materialità delle arti, la loro fisicità, ed egli concepì in termini letterali la loro unificazione innalzando a principio compositivo gli effetti ottici dei rapporti fisici" (Lavin). Nella pala d'altare la trasverberazione di Santa Teresa: l'unione di scultura e rilievo aveva come precedente a Roma il modello di Pietro da Cortona per San Giovanni dei Fiorentini (non è certo che il gruppo fosse del Mochi). Bernini creava il maggior capolavoro del barocco, riprendendo tutti i temi che la Controriforma da anni aveva elaborato, estasi, visioni, misticismo, teologia della luce. Il processo di salvezza rappresentato non in termini simbolici ha luogo nella cappella (Lavin).

G. Francesco Borromini, progetto per la ricostruzione di San Giovanni in Laterano, Roma, Biblioteca Vaticana, Vat. Lat. 11257, fol. 258, disegno, 1646 ca. È visibile nel progetto il nome di Mochi: due statue del Mochi dovevano essere collocate in due delle dodici edicole, con timpano fregiato della colomba Pamphilj, disegnate dal Borromini; il programma prevedeva dodici apostoli giganteschi, ma il Mochi non iniziò mai questo lavoro.

H. Francesco Borromini, progetto per il restauro di San Paolo fuori le mura, voluto da Innocenzo X, ma non realizzato.

I. Porta del Popolo, prima e dopo il restauro eseguito dal Bernini in occasione dell'arrivo a Roma della regina Cristina di Svezia. Incisione. Si notano le statue del Mochi, il San Pietro e il San Paolo, "le quali vi fece porre Alessandro VII" (Vasi, 1747).

L. Cristina di Svezia, incisione. Nel 1668 Cristina, avendo abdicato alla corona dopo anni di regno, si convertì al cattolicesimo ed entrò trionfalmente a Roma, accolta dal papa Alessandro VII Chigi. Grandiosi festeggiamenti le furono preparati nell'Urbe.

M. Alessandro Algardi, statua di Innocenzo X, Roma, palazzo dei Conservatori, bronzo, 1649-1650. La statua di Innocenzo X era stata commissionata al Mochi, lo scultore più esperto della fusione che si trovasse allora a Roma, ma l'Algardi, nonostante fosse amico del Mochi, riuscì ad avocare a sé l'incarico.

N. Orfeo Boselli, Osservazioni della scultura antica (scritte tra il 1642 e il 1655). Il Boselli, scultore, principe dell'Accademia di San Luca nel 1650, "conoscitore", iniziò a scrivere per difendere gli ideali classici nella scultura contro "le aberrazioni" del Bernini. Boselli fu in rapporto d'amicizia col Mochi.

O-P. Francesco Mochi, San Paolo, Roma, Porta del Popolo. Nelle due figure severe e terribili sembra riecheggiare il verso di Campanella "Piero e Paolo, luminar del cielo, Radamante e Minosso della celeste legge e del Vangelo". Le due statue, commissionate per la basilica di San Paolo, furono rifiutate dai committenti e si trovavano nella casa del Mochi alla sua morte.